ELIGE CÓMO DESEAS DAR A LUZ

ELIGE CÓMO DESEAS DAR A LUZ

GILL THORN

Título original: *Have the Birth You Want*
Publicado en inglés por Hodder & Stoughton, a Division
of Hodder Headline Ltd

Traducción de Elena Barrutia

Diseño de cubierta: Valerio Viano

Fotografía de cubierta: Photo by Moose Azim / Copyright Mother
& Baby Picture Library (London)

Distribución exclusiva:
Ediciones Paidós Ibérica, S.A.
Mariano Cubí 92 – 08021 Barcelona – España
Editorial Paidós, S.A.I.C.F.
Defensa 599 – 1065 Buenos Aires – Argentina
Editorial Paidós Mexicana, S.A.
Rubén Darío 118, col. Moderna – 03510 México D.F. – México

ISBN: 84-9754-172-3
Depósito legal: B-17.978-2005

Impreso en Hurope, S.L.
Lima, 3 bis – 08030 Barcelona

Impreso en España – *Printed in Spain*

Dedicado a mi abuela, Edith Harriet Lodge
1882-1970

Con todo mi cariño

Índice

Índice de guías rápidas

Agradecimientos

Estoy muy agradecida a todas las mujeres que han compartido conmigo sus historias y la firme sensación de que dar a luz es algo que las mujeres hacen por sí mismas, aunque reciban ayuda. Gracias especialmente a Clare Burt, cuya experiencia personal me animó a escribir este libro.

También debo dar las gracias a Mandy Hawke, que ha ayudado a las mujeres a elegir su parto durante muchos años; y a mis hijas, la doctora Joanna Thorn, una fiel defensora de los derechos de las mujeres, y la doctora Annabel Corbett, psicóloga e investigadora que en este momento espera su primer hijo. Ambas han leído el borrador de este manuscrito, y sus pacientes y perspicaces comentarios han sido inestimables.

Introducción

Es curioso que un simple acontecimiento pueda cambiar el curso de una vida. La experiencia de mi abuela al dar a luz fue tan traumática que nunca tuvo más hijos. Cuando yo estaba esperando mi primer hijo y me contó cómo había sido su parto tenía ochenta y siete años.

Mi madre nació en 1911 en casa, como la mayoría de los bebés en esa época. Según mi abuela fue un parto muy largo, y mientras lo recordaba me quedé sorprendida al ver que tenía lágrimas en los ojos, que se secó con su pañuelo blanco de hilo. Fue la primera y la única vez que la vi llorar.

«La comadrona me dio cloroformo», dijo con tristeza. «Me puso una mascarilla en la cara. Yo no quería inhalarlo, pero me obligó a hacerlo.»

Sesenta años más tarde no era el dolor ni la duración del parto lo que le resultaba tan insoportable. Era el recuerdo de que le quitaran el control, de no poder negarse a que la sedaran.

Mi abuela se convirtió en enfermera voluntaria durante la Primera Guerra Mundial. Era fuerte mental y físicamente, digna y capaz en todo momento, pero no podía soportar la idea de tener otro hijo.

Al hablar de partos no estamos hablando de cuestiones científicas ni de sensaciones. Estamos hablando de *sentimientos*.

Todo el mundo coincide en que las mujeres y los niños deben recibir la mejor atención posible durante el parto, pero hay diferencias de opinión en lo que esto significa. Las opiniones de las mujeres se suelen considerar irracionales, o menos importantes que las de los profesionales de la salud, y a veces se les somete a una gran presión para que acepten las ideas de otras personas.

Nadie sabe lo decisivo que es el momento del parto hasta que ocurre. Si una mujer se siente impotente durante esta importante experiencia dudará de sí misma, y la sensación de pérdida puede hacer que lo que debería ser un recuerdo feliz se convierta en una tortura.

¿Cómo debería nacer un bebé? En cuanto una línea de investigación rompe una lanza en favor del parto natural otra empuja a las madres hacia los brazos de los médicos. Muchas mujeres se sienten divididas entre el enfoque medicalizado que está actualmente de moda y el ideal del parto natural, pero no hay ninguna manera «adecuada» de tener un hijo. Los partos son como la ropa; cada mujer tiene su propio estilo.

Algunos ponen el énfasis en la seguridad, cueste lo que cueste en términos económicos o humanos; otros creen que dar a luz hoy en día es muy seguro y consideran más importante poder elegir que reducir aún más el índice de mortalidad perinatal. Algunas mujeres quieren parir sin dolor; otras están dispuestas a aceptar los dolores siempre que no sean insoportables.

Parir como desees es importante porque contribuye a tu bienestar físico y emocional, el de tu familia y el de la sociedad en general. Sencillamente, una buena experiencia facilita los vínculos familiares, y una mala crea dificultades. Las pautas que se establecen respecto al parto pueden influir mucho más de lo que se piensa en un principio.

Para muchas mujeres tener un parto satisfactorio, ya sea fácil o difícil, significa mantener el control personal. Perder el poder de controlar tu propia vida es algo que no se puede dejar a un lado, y el resentimiento que provoca puede ser difícil de superar.

Si otras personas toman las decisiones por ti tendrás que aceptar las consecuencias aunque no sean lo que esperabas. Si esto es lo que quieres no pasa nada, pero si te obligan a dar a luz de un modo que no te parece bien, si otros deciden lo que consideran mejor para ti es posible que te sientas furiosa y engañada o, como mi abuela sesenta años después, insoportablemente triste.

Se ha sugerido que las mujeres se pueden sentir fracasadas si no dan a luz como quieren. Yo creo que esto es subestimarlas. Un atleta que se prepara durante cuatro años para conseguir una medalla olímpica no tiene la certeza de que vaya a ganarla. Decidas lo que decidas es posible que fracases, pero también conseguirás determinación y confianza en ti misma. Aprenderás más sobre ti y vivirás con más plenitud.

Los partos naturales no siempre están a la altura de lo que se espera de ellos. Los medicamentos y la tecnología tienen efectos secundarios y no siempre hacen el parto más fácil. Una cesárea puede ser lo mejor desde los pañales desechables, o provocarte una infección de la que podrías prescindir. Parir en el agua en casa puede ser una experiencia maravillosa, o acabar con un traslado al hospital.

No hay ninguna garantía de que tus planes salgan bien aunque hayas pensado en el parto y hayas decidido lo más adecuado para ti; cuando las cosas salen de otro modo tampoco es siempre culpa de alguien. Sin embargo, si compartes las decisiones no tendrás que sufrir las consecuencias de un plan con el que no estabas de acuerdo.

Las parturientas no son niñas pequeñas que piden a las personas mayores que les libren de lo malo y decidan por ellas. Las que optan por compartir sus decisiones en vez de ponerse en manos de otros son capaces de asumir la responsabilidad de sus elecciones.

Entre lo que las mujeres esperan del parto y su experiencia real suele haber una gran diferencia. Para salvar esta distancia hace falta información y determinación. Lo que obtengas dependerá de lo que decidas y cómo te prepares con antelación tanto como de tu propio parto. Si eres realista y te informas bien estarás en mejor situación de tomar las decisiones adecuadas y conseguir lo que desees, ya sea evitar una intervención innecesaria u optar por una cesárea electiva. Incluso cuando la situación no es fácil las mujeres son capaces de superar las dificultades y tener el parto que quieren.

El embarazo es un periodo para reunir fuerzas, conseguir la información que necesites y buscar a la gente que pueda ayudarte. Es posible que tengas que pensar tanto como para planificar cualquier acontecimiento especial, pero puede ser igual de gratificante.

En un buen parto suele haber una madre que se siente poderosa. Para afrontar tus miedos y los de los demás, cuestionar la información incorrecta, vencer las oposiciones y asumir compromisos hace falta valor. Este libro te ayudará a establecer tus opciones, planificar tu parto y ponerte en marcha para conseguir tus objetivos.

Capítulo 1

Breve historia del parto

A lo largo de la historia se han utilizado numerosos rituales para asegurar la salud de la siguiente generación. La sociedad siempre ha intentado controlar la situación de las mujeres que dan a luz.

En la Edad Media el parto no tenía un estatus especial. El embarazo constituía simplemente una parte de la vida, una experiencia normal para las mujeres. Los remedios para los dolores y las náuseas circulaban como los rumores, y se buscaba la ayuda de una curandera para resolver los problemas. El parto podía ser largo, doloroso e incluso trágico, pero los conjuros, los amuletos y los remedios de hierbas proporcionaban alivio y protección contra los espíritus malignos que podían hacer daño a las mujeres o los recién nacidos.

A medida que fue creciendo la influencia de la Iglesia se prohibieron los conjuros, los amuletos y las pociones por considerarlos actos de brujería. Las oraciones y las peregrinaciones religiosas se convirtieron en las piedras angulares a las que se animaba a aferrarse a las mujeres.

Hoy en día la Iglesia ha perdido gran parte de su influencia.

Las mujeres siguen buscando consejo, pero en vez de consultar a una curandera o un líder religioso compran un libro o una revista especializada y confían en un profesional cualificado.

En el planteamiento actual se da especial importancia al control de los riesgos, y en el mundo desarrollado el parto ya no se considera un acontecimiento normal de la vida. Ahora los partos se ven como una crisis potencial, y las mujeres se someten a intervenciones para evitar cualquier riesgo. Aunque resulta tentador burlarse de los antiguos rituales que se imponía a las parturientas, algunos de los procedimientos médicos actuales pueden parecer igualmente ridículos a las futuras generaciones.

El constante cambio social es una de las lecciones de la historia. El renovado interés por parir en casa, la utilización del agua para aliviar el dolor y las terapias complementarias, junto con la creciente demanda de cesáreas, sugiere que podemos estar acercándonos a un periodo de mayor diversidad.

En casa y en el hospital

En la Edad Media los bebés solían nacer en la estancia común de la casa, donde la madre se encontraba caliente. Hasta el siglo XIX, en las zonas rurales de Francia era habitual dar a luz en la cuadra para no tener que limpiar nada en casa. La cuadra proporcionaba privacidad y calor, se podía quemar la paja manchada y no se molestaba a los demás niños.

Para el siglo XVII las mujeres de clase alta se podían retirar a una habitación dentro de la casa. En las casas coloniales americanas se habilitaba una pequeña habitación en la estancia principal para los partos. Esta habitación contenía una cama con un colchón de paja, normalmente con un catre debajo para quien cuidara de la madre.

La habitación para parir estaba situada detrás de la chimenea central para que se mantuviera siempre caliente, porque el calor se consideraba esencial durante el parto. El aire frío, sobre todo por la noche, podía hacer que la madre temblara y sufriera una hemorragia. Se alimentaba el fuego y se tapaban las puertas y las ventanas con trapos para prevenir las corrientes. El calor era asfixiante si el parto duraba varios días, pero sellando la habitación se evitaba que entraran los espíritus malignos que podían poner en peligro a la madre o al recién nacido.

En muchas zonas un parto era un acontecimiento social. Todo el mundo acudía a animar a la madre y a disfrutar de una buena tertulia. Los parientes y los vecinos ayudaban a calentar el agua, lavar las sábanas, preparar la comida, cuidar a los niños más pequeños y mantener el fuego encendido.

Para el siglo XIX algunos bebés nacían en los hospitales, pero eran lugares infames que sólo utilizaban las mujeres pobres que no tenían ningún sitio donde ir, a las que se trataba como conejillos de Indias. Los médicos iban de la sala de disección a la planta de maternidad y de cama en cama sin lavarse las manos, y las infecciones eran frecuentes porque había un gran desconocimiento de las bacterias y los antibióticos.

Miles de mujeres pobres morían durante el parto, pero muchos avances científicos en este campo fueron posibles gracias a sus sacrificios.

La actitud hacia los hospitales fue cambiando poco a poco en el siglo XX a medida que se redujeron las infecciones y se introdujeron medicamentos para aliviar los dolores. Primero en América, y luego en Europa y Australia, dar a luz en casa se comenzó a ver como una costumbre anticuada.

En 1965, alrededor de un tercio de los partos de Gales e Inglaterra se realizaban en casa. Cinco años después el gobierno promulgó el Informe Peel, que fue decisivo para que aumentara la aceptación del enfoque médico. Sin pruebas en las que basarse, este informe recomendaba que todos los partos tuvieran lugar en los hospitales. Se llevó a cabo un programa especial para instalar las camas necesarias, y en 1990 sólo uno de cada cien partos se realizaba en casa. Hoy en día alrededor de un 20 por ciento de los partos tienen lugar en casa en algunas zonas del Reino Unido. En otras apenas se da esta práctica.

Casi todas las mujeres parían en su casa o cerca de ella porque se encontraban más seguras. Hoy en día muchas se sienten más seguras dando a luz en el hospital, con acceso a procedimientos tecnológicos para controlar el parto y a la anestesia epidural, un poderoso método para aliviar el dolor que no se puede utilizar en casa. Sin embargo, la tecnología exige un mayor nivel de cualificación del personal, y las comadronas no tienen tiempo de reconfortar a las mujeres para que afronten mejor el parto.

Madres y comadronas

El trabajo de las comadronas consiste en «estar con las mujeres». Una buena comadrona hace algo más que controlar el bienestar del bebé; tranquiliza y apoya a la madre para darle fuerzas y valor mientras da a luz.

En la Edad Media las comunidades solían elegir a una mujer casada para que fuera su comadrona, preferiblemente con una familia extensa para que tuviera más experiencia en partos. Y se consideraba impropio que una chica soltera presenciara un parto.

La descripción del trabajo de la comadrona ideal era muy simple: debía haber atendido una serie de partos sin grandes contratiempos y debía ser de confianza para que estuviera con la madre y le ayudara lo mejor posible. En un antiguo manual de partos publicado en 1545, *The Byrth of Mankynde*, se recomendaba lo siguiente:

> La comadrona debe instruir y reconfortar a la parturienta dándole no sólo comida y bebida, sino también palabras dulces para que tenga la esperanza de que el parto va a ser rápido, animándola a ser paciente y tolerante...

Cuantos más partos atendía una comadrona más experiencia adquiría y más confiaba en ella la comunidad. Algunos pueblos preferían que su comadrona fuera posmenopáusica por la simple razón de que al no tener ataduras domésticas podía acudir con más rapidez.

El repertorio de las comadronas rurales incluía remedios de hierbas y amuletos, que se complementaban con conjuros cuando el parto resultaba difícil. Las mujeres se sentían cómodas con una mujer del mismo nivel social que no iba a juzgar su forma de vida ni a pedir cosas de las que no disponían. La comadrona disfrutaba de la hospitalidad de la casa y a cambio solía recibir un pequeño regalo, por ejemplo una barra de pan o una loncha de jamón, como muestra de gratitud.

Lo habitual era que la comadrona tuviera una aprendiza, una mujer más joven o su propia hija, a la que transmitía sus conocimientos y le pasaba el trabajo cuando envejecía o se sentía demasiado débil para continuar; si moría de forma prematura las mujeres se ayudaban las unas a las otras hasta que aparecía otra comadrona en la que podían confiar.

A finales del siglo XVI comenzó la caza de brujas. A medida que se extendía el cristianismo y crecía la influencia de los sacerdotes las comadronas eran acusadas de brujería si una madre o un bebé sufrían daños e incluso si intentaban aliviar el dolor. Alrededor de 1591 Agnes Simpson utilizaba opio para aliviar los dolores de parto en Inglaterra; y en Escocia Eufame MacCalzean traspasó los dolores de una mujer a un perro. Ambas fueron quemadas en la hoguera.

En el siglo XVII aumentó aún más el fanatismo de las persecuciones en Europa. En una zona de Alemania ejecutaron a novecientas brujas en doce meses; y en Toulouse, Francia, quemaron a cuatrocientas en la hoguera en un solo día.

Al parecer el mayor celo estaba reservado para las comadronas, a las que solían denunciar los médicos que se graduaban en las nuevas universidades e intentaban ganar poder en el terreno de los partos.

Si el parto era muy difícil y la vida de la madre o el bebé corría peligro se solía llamar a un barbero-cirujano. Los barberos-cirujanos costaban más que una comadrona y utilizaban instrumentos quirúrgicos, pero con el tiempo las familias que se lo podían permitir comenzaron a llamar a los que tenían más éxito para que atendieran partos normales. El aumento de la participación de los hombres en los partos en el siglo XVII ayudó a los médicos a entrar en este territorio.

Sin embargo también había mujeres habilidosas. La primera cesárea que se llevó a cabo con éxito en el Reino Unido fue realizada por Mary Donally en 1738. Atendió a la mujer de un granjero que tenía treinta y tres años, le cosió la herida con hilo de seda y luego la cubrió con clara de huevo. La madre y el bebé salieron adelante.

La imagen popular de una comadrona en los siglos XVIII y XIX era la de una charlatana sucia, desagradable y sin formación, en muchos casos bajo la influencia del alcohol. Aunque hubiera algunas así, la mayoría eran limpias, amables y capaces de proporcionar alivio y sencillos remedios de hierbas. Sabían si un parto se desarrollaba con normalidad y pedían ayuda cuando era necesario.

A comienzos del siglo XX, como consecuencia directa de la guerra, las comadronas de Gran Bretaña fueron reguladas y obligadas a formarse. El gobierno estaba tan alarmado con la mala salud de los hombres reclutados para la Guerra de los Bóers en 1899 que se introdujo un programa sanitario que incluía cuidados prenatales. En 1902 un acta parlamentaria decretó que el trabajo de las comadronas fuera una profesión independiente con sus propias regulaciones.

Sin embargo, en América esta profesión estuvo a punto de extinguirse cuando los tocólogos dominaron los departamentos de maternidad y las comadronas se convirtieron en enfermeras que tenían que manejar sofisticados aparatos tecnológicos y adaptarse a las políticas hospitalarias diseñadas por los médicos.

Actualmente las comadronas americanas están reclamando su lugar como profesionales independientes; pero en muchos países desarrollados esta profesión se enfrenta a un problema. Si la tecnología domina en la sala de partos a las comadronas les resulta cada vez más difícil «estar con las mujeres» durante el parto.

¿Colgando de la lámpara?

Si una mujer diera a luz en su propia casa, rodeada de gente conocida, le resultaría más fácil escuchar a su cuerpo y elegir las posturas en las que podría encontrarse más cómoda durante el parto.

Antes del siglo XVIII las mujeres no solían dar a luz tumbadas; podían arrodillarse, ponerse en cuclillas o de pie apoyándose en otras personas; agarrarse a una cuerda o una sábana colgada de una viga; colgarse de las axilas apoyadas en los respaldos de dos sillas; acurrucarse en el regazo de alguien e incluso ponerse cabeza abajo con ayuda durante un breve periodo de tiempo.

Muchas mujeres utilizaban un taburete de tres o cuatro patas, que normalmente llevaba la comadrona de una casa a otra. Estos bancos proporcionaban apoyo durante el parto y el bebé nacía a través de un agujero con forma de herradura que había en el asiento. Su popularidad fue variando con el tiempo; después de desaparecer se introdujeron de nuevo en Italia en el siglo XV, y se utilizaron en toda Europa hasta 1840 aproximadamente, cuando dejaron de ser populares una vez más.

Cuando se redescubrieron los beneficios de las posturas verticales para dar a luz en los años ochenta hubo otro torbellino de intereses y se desarrollaron artefactos de alta tecnología que parecían sillones de dentista con correas en los que las mujeres podían adoptar varias posturas, pero no fueron muy populares entre la población femenina.

A finales del siglo XVII se puso de moda que las mujeres parieran tumbadas en la cama. Esto coincidió con el aumento del número de los parteros y se podía deber a su comodidad, aunque en esa época las mujeres solían quejarse de que otras mujeres les obligaban a arrodillarse o a sentarse.

Las mujeres francesas se tumbaban boca arriba en la cama apoyadas sobre almohadas. Se dice que fue Luis XVI el precursor de esta moda al ordenar a su amante que adoptara esta postura para ver nacer a su hijo en 1738. En una ilustración de una cama francesa para partos de 1743 se ven dos colchones, con el de arriba doblado y sujeto con un soporte a la cabecera de la cama.

En Inglaterra las mujeres se tumbaban sobre el lado izquierdo con una almohada entre las rodillas y daban a luz por detrás. Esto se conocía en toda Europa como la «postura inglesa». A los médicos les resultaba incómoda, pero de este modo las mujeres no pasaban vergüenza y no veían el instrumental que utilizaban los médicos para los partos difíciles.

En el siglo XIX se animaba a las mujeres a tumbarse boca arriba con los pies sobre una tabla situada a los pies de la cama o contra los hombros de la comadrona, o tirando de un trozo de tela atado a los pies de la cama. Hoy en día las mujeres siguen dando a luz en los hospitales tumbadas boca arriba porque nadie sugiere ninguna alternativa. No es una postura ideal, pero si se usan procedimientos tecnológicos o la epidural durante el parto no suelen tener otra opción.

Cuando se veía la abertura del perineo había que hacer todo tipo de cosas. Las maniobras para evitar desgarros y los cortes para acelerar el parto eran necesarios principalmente por la postura que dejaba a la vista el perineo.

Las mujeres que actualmente optan por el parto natural suelen utilizar posturas verticales en las que les ayuda la gravedad. Se arrodillan, permanecen de pie apoyándose en otras personas, se ponen en cuclillas o se sientan y cambian de postura cuando lo consideran necesario, como sus antepasadas de la Edad Media. La rueda ha dado la vuelta.

Un parto rápido

En un parto excesivamente largo siempre existen riesgos para la salud de la madre y del bebé. Los documentos de los siglos XVI y XVII indican que algunas mujeres tenían hijos sanos después de estar de parto durante más de dos semanas, pero todas las culturas intentan evitar esto.

En la Edad Media la primera defensa era un amuleto. Los amuletos se remontan a la antigua Grecia, y fueron muy populares en las zonas rurales europeas hasta el siglo XIX. Podían ser de origen animal, mineral o vegetal, y se consideraba que tenían una afinidad con el útero al tener la misma forma.

La preciada «piedra de águila» era del tamaño de un huevo de paloma, y sonaba como una nuez en la cáscara probablemente porque tenía un trozo de mineral suelto en su interior. Se encontraban cerca de los nidos de águilas, y su poder estaba asociado con el simbolismo de un ave libre y misteriosa.

La siguiente opción era una «piedra de mujer», un guijarro verdoso con franjas claras y oscuras. Como las piedras de águila, eran tan preciadas que se solían engarzar en plata y se consideraban joyas de familia. Las mujeres menos pudientes que no tenían acceso a objetos tan lujosos depositaban su fe en una bola de pelo del estómago de un animal.

El poder de un amuleto residía en su capacidad de atraer al bebé hacia él. Para prevenir un aborto se colgaba alrededor del cuello. Durante el parto se ataba al abdomen o al muslo izquierdo cuando comenzaban los dolores, se sujetaba con una faja blanda o una cinta y se quitaba en cuanto nacía el bebé. Su posición era esencial para que resultara eficaz, como la colocación de los monitores fetales actualmente. Si el parto se prolongaba el amuleto se ajustaba, al igual que las comadronas comprueban hoy en día si un monitor está colocado correctamente.

Puesto que las creencias tienen un poderoso efecto psicológico, y la sensación de seguridad ayuda a que un parto normal vaya bien, un amuleto atado con una faja reconfortaría a una mujer de la Edad Media tanto como los electrodos de un monitor fetal sujetos con correas tranquilizan a las mujeres actualmente.

Antes de que comenzara la caza de brujas nadie preguntaba si una comadrona usaba un amuleto o recurrría a conjuros mágicos durante un parto lento; agradecían cualquier tipo de ayuda que pudieran conseguir. Los amuletos convivieron con la religión durante décadas, y en los conventos solía haber una faja sagrada, que se veneraba como una reliquia, para utilizarla en los partos. Tranquilizaba a los fieles y se prestaba a los feligreses adinerados.

En el siglo XVII resurgió el interés por los remedios de hierbas, considerados ya como medicamentos. Las pociones elaboradas con cornezuelo, una sustancia que se obtenía del centeno, se administraban con caldo o vino para acelerar las contracciones del parto. Los derivados del cornezuelo se utilizan hoy en día para contraer el útero.

Cualquier sustancia que hiciera vomitar violentamente a las mujeres también se consideraba útil. La ipecacuana, que utilizan actualmente los homeópatas para las náuseas del embarazo, se valoraba por su capacidad de estimular el útero y acelerar el parto, pero era tan cara que sólo estaba al alcance de las mujeres ricas.

A principios del siglo XVIII, la era de los descubrimientos científicos, los medicamentos comenzaron a ser más baratos y más accesibles para las mujeres de las ciudades antes de que los vendedores ambulantes los llevaran al campo. Durante la segunda mitad de este siglo hubo una profusión de nuevos medicamentos elaborados mediante procesos químicos en los laboratorios.

Se medían en pequeños frascos de vidrio con marcas para que las dosis fueran exactas, pero de este modo no se lograba controlar la duración del parto ni eliminar los dolores. Esto se consiguió en el siglo XX con el desarrollo de la tecnología para administrar los medicamentos y controlar la respuesta del bebé con un grado de precisión y seguridad inimaginable hasta entonces.

Sin embargo, ahora resulta tan fácil acelerar el parto que a veces se recomienda con el menor pretexto sin tener en cuenta las necesidades de la madre y el bebé.

Soportando el dolor

Las creencias sobre los dolores de parto han cambiado a lo largo del tiempo con todo lo demás. Las mujeres medievales creían que estaban provocados por los espíritus malignos, y las cristianas los veían como un castigo por los pecados de Eva. Hoy en día existe una explicación biológica.

Mientras la mayor preocupación era asegurarse de que la madre y el bebé sobrevivieran no se prestaba mucha atención a los dolores. Se consideraban inevitables e inseparables al parto.

Para los cristianos cualquier intento de aliviar los dolores de parto iba en contra de la voluntad de Dios. Citaban la «maldición de Eva» —«parirás con dolor»— y afirmaban que soportando estoicamente los dolores de parto una mujer podía alcanzar el anhelado «estado de gracia».

Teniendo en cuenta que aliviar el dolor antes del siglo XIX era arriesgado esta idea podía resultar útil, pero para mediados de siglo se habían desarrollado métodos para operaciones quirúrgicas eficaces y relativamente seguros. Sin embargo, la Iglesia seguía condenando a algunas mujeres a soportar partos largos y difíciles sin ningún respiro.

El primer médico que utilizó cloroformo en un parto fue James Young Simpson al atender a la mujer de uno de sus colegas en 1847. Esta mujer se quedó tan impresionada con sus efectos que llamó a su hija Anestesia. Seis años después se administró a la reina Victoria de Inglaterra durante el parto de su octavo hijo, el príncipe Leopoldo. El cloroformo podía provocar pérdidas de consciencia e incluso la muerte, y en esa época las dosis no eran muy exactas. Si la reina Victoria hubiera sufrido algún daño la historia de la anestesia en los partos se habría retrasado varias décadas; pero le entusiasmó y volvió a utilizarla con éxito cuatro años después para dar a luz a la princesa Beatriz.

El apoyo de una persona famosa puede cambiar las cosas de un plumazo. Con el apoyo de la reina Victoria, las autoridades religiosas reconsideraron su oposición a la anestesia en los partos, y con el cambio de siglo se extendió el uso del cloroformo mientras se desarrollaban métodos más seguros y eficaces.

Hoy en día, incluso entre los cristianos, pocas mujeres interpretan los dolores de parto como una expiación por los pecados de Eva. La mayoría de la gente encuentra más aceptable la explicación biológica: el dolor es una respuesta natural cuando las fibras musculares del útero se contraen con fuerza y las del cérvix se relajan y se estiran.

Algunas mujeres consideran los dolores de parto innecesarios y evitables. No los ven como una cuestión moral y están encantadas con la tecnología y los medicamentos que hacen que sean cosa del pasado. Otras señalan que los medicamentos tienen efectos secundarios y que la tecnología aumenta la necesidad de otras intervenciones (véase «Guía rápida», pp. 90 y 91-92). Saben que la relajación y las terapias complementarias ayudan a liberar endorfinas, los calmantes naturales del organismo.

¿Qué más da en qué confíe una mujer si le ayuda a sentirse segura y a controlar el dolor de las contracciones?

Padres y partos

Durante siglos el parto se ha considerado un «asunto femenino», y en las comunidades en las que había mujeres a las que recurrir los hombres no solían entrar en la sala de partos. Se consideraba que las mujeres tenían más paciencia y experiencia, y la presencia del padre no era ni necesaria ni correcta.

Sin embargo, en las comunidades aisladas de América, Europa y Australia, donde había una estrecha dependencia en la vida de los hombres y las mujeres, el padre solía quedarse con su mujer en vez de dejar que diera a luz sola mientras iba a buscar ayuda. Incluso cuando llegaba una comadrona su presencia podía ser necesaria para apoyar a su mujer si había algún problema en el que podía aplicar los conocimientos que había adquirido ayudando a parir a las vacas y las ovejas. En 1588, el colono Jacob Nufer le practicó una cesárea a su mujer, Elizabeth. La madre y el bebé sobrevivieron, y Elizabeth tuvo otros seis hijos que nacieron normalmente.

Los partos reales eran diferentes. Debido a la importancia de la sucesión tenían lugar delante de una alegre multitud de ambos sexos. Además de las mujeres que atendían el parto había consejeros de la corte o miembros del gobierno para evitar que si un niño moría se le sustituyera por un recién nacido sano y fuera proclamado heredero real de forma ilegítima.

Hasta la segunda mitad del siglo XX la mayoría de los partos se realizaban en casa. No había nada que impidiera que el padre estuviese presente, pero la vergüenza y el decoro hacían que la mayoría de los hombres se quedaran fuera. La comadrona podía darle pequeñas tareas para mantenerle ocupado, como hervir agua o hacer recados, pero por lo general se consideraba a los hombres innecesarios. En *The Care of Young Babies*, publicado en 1940, el doctor John Gibbens aconsejaba a los padres: «Lo más adecuado es que veas a tu mujer de vez en cuando para tranquilizarla y decirle que lo está haciendo muy bien y dejes el resto al médico. Como mejor puedes ayudarle en esos momentos es manteniendo a los parientes ansiosos lejos de la casa».

Si una mujer daba a luz en el hospital su pareja no tenía nada que hacer. Su trabajo consistía en acompañarla al hospital y desaparecer. Le permitían verla en las horas de visita, normalmente una hora por la tarde (con más visitas) y otra por la noche solo. Si quería quedarse en otro momento tenía que escribir una solicitud al especialista; por supuesto, las parejas que no estaban casadas ni se molestaban en solicitarlo. El árbitro final que decidía si un padre podía estar presente cuando nacía su hijo era el médico.

En los años setenta la tecnología cambió el trabajo de las comadronas. La bomba de inyección de Cardiff, por ejemplo, era un aparato complejo y poco fiable que medía la intensidad de las contracciones de una mujer e inyectaba medicamentos de forma automática para acelerar el parto. Si había algún problema sonaba una alarma para que una comadrona pudiera supervisar a varias mujeres al mismo tiempo. Las comadronas pasaban de cama en cama controlando las máquinas, pero tenían menos tiempo para ofrecer su apoyo.

Durante gran parte de la historia se había desterrado a los padres de la sala de partos, pero, como los granjeros del siglo pasado, ahora eran necesarios. A las mujeres les resultaba angustioso estar solas durante mucho tiempo durante el parto. De repente los padres volvieron a tener un papel que desempeñar.

Incluso los hombres que no querían estar presentes en los partos y no sabían qué podía ocurrir ni cómo ayudar a su pareja estaban obligados a actuar como acompañantes. Aunque algunos decían que no se habrían perdido el nacimiento de su hijo por nada del mundo y que eso había reforzado sus vínculos familiares, para otros era una experiencia traumática.

Siempre se ha esperado que los padres hagan «lo más correcto». Hoy en día eso significa estar presente y apoyar a su pareja durante el parto, no dejárselo todo a los profesionales. Si un padre intenta evitarlo la gente piensa que está «fallando» a su pareja; pero al mismo tiempo hay un animado debate respecto a si las mujeres son mejores de forma instintiva en el papel de acompañantes.

El cambio de actitud en cuanto a la presencia de los hombres cuando las mujeres dan a luz es un buen ejemplo de cómo las pautas sociales y culturales determinan los partos tanto como los factores físicos.

Médicos y partos

Desde la Edad Media hasta hace muy poco tiempo las mujeres preferían que les atendiera una comadrona en lugar de un médico. Cuando en un parto hacía falta cariño y un par de manos para sujetar al bebé, las comadronas resultaban más que competentes.

En el siglo XVI sólo se llamaba a los médicos en casos extremos. Por lo general eran de una clase social más alta, sus conocimientos y su instrumental les apartaban de la gente y costaban más. Pero si un parto era muy difícil o corría peligro la vida de la madre o el bebé un médico podía salvar la situación.

A diferencia de las comadronas, a los médicos no les gustaba esperar a que un bebé apareciera en su debido momento cuando se podía acelerar un parto lento con instrumentos. Con sus instrumentos tenían algo que hacer, algo activo y más rentable que las infusiones y la simpatía que ofrecían las comadronas.

La Iglesia no permitía a las mujeres estudiar medicina en las nuevas universidades, y mientras a las mujeres acusadas de brujería se las quemaba en la hoguera en masa solía ser el testimonio de un médico lo que determinaba el destino de una comadrona. En esa época había una terrible lucha de poder en Inglaterra entre las comadronas, los doctores del recién creado Colegio Real de Médicos y los barberos-cirujanos.

Alrededor de 1588, un barbero-cirujano llamado Peter Chamberlen inventó los fórceps, que eran básicamente un par de cucharas huecas de gran tamaño. Las comadronas y los barberos-cirujanos utilizaban ya las cucharas para los partos difíciles, pero Chamberlen inventó un mecanismo para unirlas y evitar así que dañaran el cráneo del bebé. Este aparato revolucionó los partos al salvar a los bebés que presentaban dificultades especiales.

El invento resultó muy rentable. Peter y su hermano atendían a las damas de la corte inglesa y viajaban por toda Europa cobrando elevadas tarifas por sus servicios. Sin tener en cuenta los beneficios para las mujeres en general, se esforzaron mucho para mantener el secreto dentro de la familia, rodeándolo de un gran dramatismo en una actuación que debía aterrorizar a las pobres madres. Dos hombres llevaban una enorme caja dorada. Los hermanos vendaban los ojos a la madre, hacían salir a todas las mujeres incluida la comadrona y disimulaban el sonido del metal tocando campanillas y golpeando el suelo con palos. El secreto permaneció en la familia hasta finales del siglo XVII, cuando otros médicos adquirieron una experiencia similar.

Sin embargo, a principios del siglo XVIII los barberos-cirujanos perdieron el derecho a atender a las mujeres en los partos. Los médicos formados en las universidades con acceso a los nuevos medicamentos y a los instrumentos quirúrgicos tomaron el relevo. Su creciente influencia se basaba en su capacidad para resolver complicaciones fatales previamente, aunque no siempre tenían mucho éxito.

Las cesáreas, por ejemplo, se habían practicado durante más de dos mil años. En las antiguas comunidades egipcias y judías se esperaba que las mujeres sobrevivieran, pero luego esta práctica pareció perderse hasta la Edad Media. En situaciones extremas las mujeres se realizaban cesáreas a sí mismas, y hasta 1888, según el historiador médico americano R. P. Harris, el 66 por ciento sobrevivía. Los médicos sólo eran capaces de conseguir un 33,5 por ciento de supervivencia en América y un 14 por ciento en Gran Bretaña.

En el siglo XIX se confiaba cada vez más en la ciencia que en la religión. A medida que se comprendía mejor la fisiología y se desarrollaban nuevos medicamentos también creció la influencia de los médicos en los partos, y en el siglo XX surgió una nueva solución para los riesgos del parto: el control tecnológico.

Las mujeres se convirtieron en pacientes y su cuerpo se convirtió en el campo de prácticas de los médicos. El parto no se consideraba ya un acontecimiento normal de la vida.

El crecimiento de la tecnología

La tecnología resulta muy útil para solucionar determinados problemas, pero también proporciona dinero a las empresas que la desarrollan, la fabrican y la mantienen y da poder a los médicos cuyos conocimientos son necesarios para aplicarla. Nos guste o no, los beneficios y el poder son los principales factores que determinan que se utilice en los partos.

Las compañías sacan patentes para proteger sus inversiones y sus futuros beneficios de igual modo que la familia Chamberlen mantuvo el secreto del diseño de los fórceps durante cien años. Cuando un nuevo medicamento o un aparato se ponen de moda se consiguen más ganancias y, por lo tanto, hay un conflicto intrínseco entre la restricción de su uso para los casos imprescindibles y el aliciente de los beneficios que se obtendrían si se utilizara todo lo posible.

Los beneficios proporcionan un aliciente para recurrir a la tecnología, pero es algo más que un juego. Añadiendo algo se consigue más, y así se seduce a todo el mundo. Los instrumentos proporcionaban a los médicos del siglo XVIII algo que promocionar y les permitían cobrar tarifas más elevadas. Por la misma razón, un parto de alta tecnología es más fácil de «vender» que un parto natural, en el que no hay ningún valor añadido.

Sin embargo, cuando se utiliza mucho la tecnología suele haber desagradables efectos secundarios. Por ejemplo, se ha comprobado que monitorizar electrónicamente a los bebés aumenta el índice de cesáreas sin que esto beneficie a las madres o a los niños. En muchos países desarrollados se realizan al menos el doble de las operaciones que se pueden justificar para mejorar la salud o reducir la mortalidad.

La tecnología también afecta a lo que se considera un parto normal. El concepto del tiempo adquirió una gran importancia para la vida diaria en la Revolución Industrial, cuando comenzaron a usarse los relojes para que las fábricas funcionaran bien; pero al medir la frecuencia de las contracciones y la duración del parto se plantea la siguiente pregunta: ¿qué es lo normal? Para responder a esto se utilizaba un ejercicio de cálculo.

En los años cincuenta un americano, Emanuel Friedman, reunió datos sobre el ritmo de dilatación de las mujeres que daban a luz en el hospital, que reflejó en gráficos. Comprobó que el cérvix de una mujer normal se dilataba alrededor de un centímetro por hora, de forma que un parto normal duraba unas doce horas. Confundiendo la normalidad *estadística* (lo que él observaba) con la normalidad *fisiológica* (lo que debía ocurrir), sugirió que cualquier cosa que se apartara de su media estadística era «probablemente anormal». La curva de Friedman se convirtió en el método habitual para controlar el desarrollo de los partos.

Reflejando el desarrollo del parto en un gráfico había más control, así que se diseñaron programas para registrar el ritmo medio de dilatación y el descenso de la cabeza del bebé. Tras decidir que estos gráficos indicaban que un parto era «normal», se adoptó enseguida la idea de que cualquier parto que se desviara de ellos se debía corregir.

En los años sesenta un parto se consideraba prolongado si duraba más de treinta y seis horas. Para mediados de los setenta se habían desarrollado medicamentos y procedimientos tecnológicos para acelerar las contracciones, y la definición de «parto prolongado» se redujo a veinticuatro horas. Diez años después se redefinió el «parto normal», y muchas mujeres y comadronas esperaban que no durase más de doce horas. Había procedimientos tecnológicos para acelerar cualquier parto que pareciese ir lento.

Sin embargo, acelerar el parto puede hacer que las contracciones sean más dolorosas, y algunos bebés sufren mucho. Se pueden utilizar más medicamentos y procedimientos tecnológicos para solucionar estos problemas y obtener más beneficios; pero de este modo se reduce la capacidad de decisión de las mujeres y aumenta su dependencia de los médicos.

Aunque los avances tecnológicos han contribuido a que los partos sean más seguros también han hecho que las mujeres pierdan confianza en su capacidad de dar a luz sin ayuda. Cuando un parto normal se considera un esfuerzo de alto riesgo en vez de una función corporal natural como correr o respirar, el principal beneficiario puede ser la industria tecnológica médica.

La sabiduría natural de las mujeres

Las nuevas políticas tienden a desacreditar las antiguas creencias para reforzar su influencia, pero al hacerlo pasan muchas cosas por alto. Hoy en día los padres y los profesionales se sienten reconfortados por la ciencia al igual que las pasadas generaciones confiaban en la brujería o la religión. Sin embargo, cuando se acepta de forma masiva cualquier creencia no es fácil expresar una opinión diferente. Poner en duda las «verdades» de la ciencia es tan difícil actualmente como cuestionar en los siglos XVII y XVIII la autoridad del clero.

Aunque sea muy valiosa, la ciencia no suele tener en cuenta los sentimientos y no es tan objetiva como todo el mundo quiere pensar. Los profesionales de la salud confían a veces en pruebas de dudosa calidad porque se ajustan a sus presentimientos o a sus preferencias personales. Además, se centra en partes separadas en vez de considerar a la persona como un todo: las comadronas anotan lo que ocurre durante el parto y toman decisiones basándose en lo que esperan que suceda y en lo que indica una máquina.

Si se sobrevalora la ciencia se puede devaluar la intuición, un tipo de conocimiento más completo que se adapta mejor al trabajo en equipo que prefieren muchas mujeres. Registrar y medir puede ayudar a una comadrona a pensar que controla la situación, pero no puede conocer a una mujer marcando datos. La intuición puede proporcionar ideas que la ciencia no aporta, pero no se puede poner en práctica si la asistencia se fragmenta o si se aleja a las mujeres de sus instintos por lo que dice un monitor.

Como la ciencia, la intuición se basa en la observación, pero a través de los ojos de un niño. Los niños lo ven «todo» en vez de filtrar los datos y hacer suposiciones como los adultos. Cuando conoces bien a alguien juzgas cómo se siente por toda una serie de pistas: el lenguaje corporal, el sonido de su voz, lo que dice y lo que se calla. De un modo extraño conoces a esa persona siempre; aunque no la hayas visto durante un tiempo de repente puedes tener una sensación o una idea relacionada con ella.

La intuición física o «verdadera» proporciona un conocimiento que resulta ser correcto. Llega de repente sin un proceso racional y va precedido o acompañado de una señal física que se aprende a interpretar. No hay un control consciente y no es lo mismo que querer que ocurra algo: la sensación es cualitativamente diferente y cuando llega se reconoce. Si todo está en orden puede haber intuiciones verdaderas; no hay que buscarlas.

Si la lógica es impecable puedes creer que sabes algo «intuitivamente», por ejemplo que es más seguro tener un bebé en el hospital porque hay más recursos tecnológicos; pero por evidente que parezca no se puede comprobar.

Las intuiciones verdaderas se pueden confirmar con datos científicos, y las investigaciones científicas se basan en ideas intuitivas. Nadie espera que la ciencia dé siempre la respuesta adecuada, ni se desacredita a toda la ciencia porque parte de ella tenga poca calidad o promulgue falsas verdades. Si aplicamos el mismo criterio a los conocimientos que proporciona la intuición puede ser una forma igualmente valiosa de tomar decisiones.

Ni la ciencia ni la intuición tienen el monopolio de la verdad; cualquiera de ellas puede acertar o equivocarse. La tecnología ayuda a algunas mujeres a dar a luz; la confianza en la capacidad del cuerpo para parir, para hacer el trabajo para el que está diseñado, ayuda a los demás.

Conciliar la claridad de la ciencia con la profunda «sabiduría» de la intuición podría ayudar a muchas mujeres a tener el parto que desean; pero esto plantea una antigua pregunta: ¿quién debería hacerse cargo de los partos?

Controlando la naturaleza, controlando a las mujeres

Hasta hace muy poco tiempo los profesionales han decidido el procedimiento de los partos sobre las cabezas de las madres, de las que se esperaba que hicieran lo que les ordenaban y no tuvieran opiniones. La paciente ideal confiaba en su médico y seguía sus consejos al pie de la letra. Tratados como dioses, algunos médicos se daban una importancia excesiva y jamás cuestionaban la validez de sus criterios.

Cuando una mujer entraba en el hospital hace cuarenta años le afeitaban el vello púbico «para reducir el riesgo de infecciones». Le daban un camisón del hospital, le ponían un enema «para hacer sitio al bebé» y le obligaban a tomar un baño. Después de quitarse la ropa y de que su pareja desapareciera se convertía en una paciente dependiente, no en una mujer capaz de dar a luz como pretendía la naturaleza.

Luego se tumbaba en la cama y esperaba a que una comadrona o un médico que sabían más que ella sobre su parto le dijeran lo que debía hacer. No le permitían comer, y le daban calmantes para que no gritara y alterara a las demás mujeres de su planta. Y por último le hacían parir tumbada boca arriba en la cama, porque eso le resultaba más cómodo al profesional que la atendía.

Hoy en día una mujer que da a luz en el hospital lleva su propia ropa y dispone de una habitación en la que puede estar con su pareja. Puede moverse y comer si lo desea, pero le pueden conectar a un monitor fetal para registrar los latidos de su bebé y examinar cada cuatro horas para controlar su «desarrollo».

Las comadronas se sienten más seguras siguiendo procedimientos conocidos, que pueden resultar útiles para controlar a todas las mujeres cuando una planta está llena, pero la lectura de los latidos del corazón y las exploraciones cada cuatro horas no son esenciales para dar a luz. No se llevan a cabo cuando un bebé nace en casa. Como los fuegos encendidos y los amuletos de otros tiempos, estas rutinas reducen la incertidumbre; dentro de cien años la historia puede considerarlas otro intento para controlar la naturaleza controlando a las mujeres.

Hace treinta años a la mayoría de las madres primerizas les practicaban una episiotomía, una incisión quirúrgica en la vulva. Se suponía que era lo mejor para ellas, que resultaba más fácil dar puntos y que de este modo se evitaban desgarros y prolapsos, aunque no había ninguna evidencia que respaldara esta suposición. Hay varias razones por las que una episiotomía puede ser necesaria, que incluyen la habilidad de la comadrona y la postura que adopte la mujer para el parto. Sin embargo, se comprobó que las mujeres tenían muchas más posibilidades de «necesitar» una episiotomía cuando el equipo médico estaba a favor de este procedimiento. La «necesidad» dependía en gran parte de la opinión del especialista.

A finales de los años setenta las mujeres comenzaron a oponerse a las episiotomías y a que les obligaran a dar a luz tumbadas boca arriba. Querían utilizar otras posturas, por ejemplo de rodillas o en cuclillas; querían tomar decisiones y no veían ninguna razón para someterse a lo que ellas consideraban un control paternalista. En 1982, un tocólogo del Royal Free Hospital de Londres se negaba a permitir a sus pacientes que adoptaran cualquier postura que no fuera tumbada. Miles de mujeres expresaron su protesta manifestándose por las calles de Londres.

Las doctoras también se arriesgaban a sufrir el control paternalista. En 1987, tras una serie de reuniones secretas a las que no fue invitada, los colegas de la doctora Patte Coombes, una tocóloga americana, revocaron su derecho a practicar partos en el hospital local.

Lo que molestaba realmente a sus colegas era que apoyara el derecho de las mujeres a decidir por sí mismas. Si una mujer se negaba a una ecografía o una madre cuyo bebé venía de nalgas no quería ver a un especialista como lo exigía el protocolo del hospital, Patte Coombes aceptaba la decisión. Al hacerlo amenazaba el poder de sus colegas, que afirmaban que su trabajo era una «violación flagrante de las pautas de atención adecuadas», aunque había ayudado a nacer a cuatro mil bebés sin perder ninguno. Al recordarles que tenía un récord extraordinario de seguridad dijeron que simplemente había tenido suerte.

En un caso similar en Gran Bretaña en 1986, la tocóloga Wendy Savage desafió las normas establecidas al apoyar los derechos de las mujeres, y sus compañeros respondieron atacando su credibilidad. En ambos casos los acusadores tuvieron que retractarse por la fuerza aplastante de las pruebas.

Una decisión femenina

Las prácticas que rodean al parto van cambiando con las creencias de la sociedad. En un ambiente de brujería y espíritus malignos, las mujeres de la Edad Media confiaban en amuletos y en algunas pociones de hierbas nocivas o ineficaces; pero también usaban infusiones de frambuesa y jengibre que han superado la prueba del tiempo y se siguen utilizando hoy en día.

Cuando la Iglesia desacreditó estos remedios las mujeres comenzaron a venerar a los santos. Sin duda alguna el apoyo emocional de la oración y la promesa de alcanzar un estado de gracia a través de la paciencia les ayudaba a afrontar un parto normal, pero no les resultaba tan útil cuando había complicaciones.

La ciencia desacreditaba el consuelo espiritual en favor de los nuevos tratamientos. El embarazo se convirtió en una incesante búsqueda de problemas en vez de en una celebración de la vida. Muchas mujeres están aún convencidas de que la medicina tiene todas las respuestas y de que todos los problemas se pueden solucionar con un medicamento o un procedimiento tecnológico.

Sin embargo, desde los años setenta ha habido un gran aumento de la cantidad de información disponible sobre partos. Antes las decisiones se basaban en lo que el médico o la comadrona consideraban más adecuado, pero el lugar de las mujeres en la sociedad ha cambiado y se sienten más seguras para pedir lo que quieren. Las parturientas no son tan sumisas como en otros tiempos.

Los avances médicos, la mejora del bienestar social y el aumento de la calidad de vida han revolucionado los partos en el mundo desarrollado, pero cuanto más poder tienen los guardianes de un sistema de valores más se espera de ellos. Los cambios se suelen producir cuando surge la desilusión.

Aunque la seguridad siempre es importante, ya no es algo primordial para una mujer sana. Los padres que van a comprar un cochecito esperan que les enseñen varios modelos que se ajusten a las normas de seguridad, no que les digan de qué color o estilo debería ser; y quieren que los profesionales de la salud les garanticen un parto seguro, pero no que decidan dónde o cómo va a nacer su bebé. Hoy en día las mujeres se consideran consumidoras, no pacientes. Cuando algo no es esencial no ven ninguna razón por la que no pueden elegir.

En resumen

- La historia del parto demuestra que los factores sociales y culturales tienen tanta influencia en el parto como los factores físicos. Cada era mejora algunas cosas a expensas de otras.
- Los rituales que acompañan al parto están estrechamente relacionados con las inquietudes generales de la sociedad, y las prioridades cambian; las prácticas que una generación considera esenciales son rechazadas por la siguiente y sustituidas por nuevos rituales.
- Actualmente se da tanto valor a la ciencia que puede ser difícil cuestionarla, pero no es la única fuente de conocimientos; la intuición también puede resultar muy útil.
- La historia sustenta la noción de que no hay una manera adecuada de dar a luz. Hay un gran espacio para la diversidad y la individualidad.

Capítulo 2

El proceso natural

El cuerpo femenino está bien diseñado para parir, pero el único elemento invariable en el parto es la fisiología básica. La naturaleza ha determinado esto durante miles de años con el cruel pero eficaz método de la selección natural: los genes de las mujeres capaces de dar a luz con éxito pasaban a la siguiente generación.

El parto natural es un triunfo de la ingeniería y la química apoyado en el instinto, y este proceso funciona bien en la mayoría de los casos. Las hormonas y la elección de la postura aumentan la capacidad de la pelvis. Las contracciones colocan al bebé en la mejor posición y hacen que su cabeza encaje en la vagina. Los huesos del cráneo se superponen de forma espontánea y su cuerpo gira para pasar por un conducto increíblemente pequeño.

Sin embargo, considerar el parto como la extracción de un bebé del cuerpo de su madre es ignorar el lado humano de la experiencia. El parto lo controla tu cerebro a través del sistema hormonal, en el que a su vez influye cómo te sientes. Si estás relajada y confías en ti misma tu cuerpo puede funcionar de un modo eficaz, pero algunas mujeres tienen partos más rápidos que otras, como unas tienen resistencia para carreras de larga distancia mientras otras son mejores esprintando. Dar a luz no puede ser nunca un proceso mecánico.

Cuanto más sepas sobre el proceso del parto más confiarás en la capacidad natural de tu cuerpo para parir sin problemas. Un parto normal no es siempre tan rápido ni tan fácil como se suele desear, pero tampoco es una pesadilla como parecen creer algunas mujeres. Con una buena ayuda, la mayoría de las mujeres descubren que pueden superar el reto.

Aunque se han desarrollado técnicas para acelerar las contracciones, eliminar el dolor o evitar por completo el proceso del parto para las mujeres que lo necesitan o lo desean, la raza humana no habría sobrevivido si la mayoría de las mujeres no hubiesen sido capaces de dar a luz sin ayuda. Recuperar la confianza en el cuerpo femenino es un reto tanto para los padres como para los profesionales.

La cuna de la pelvis

La pelvis forma parte de la estructura ósea que sujeta tu cuerpo. Te permite caminar derecha y proporciona puntos de conexión para los músculos que controlan el torso y las extremidades. Tiene tres huesos principales: el sacro en la parte posterior y los dos huesos iliacos que se curvan alrededor de las caderas para unirse en la articulación sacroiliaca. La parte superior de esta articulación y la parte frontal de los huesos iliacos forman el hueso púbico, la parte delantera de la entrada de tu cavidad pélvica. El suelo de la pelvis sujeta tus órganos internos, y toda la estructura forma una cuna perfecta para tu bebé.

Para conocer la forma de tu pelvis ponte las manos a ambos lados de los huesos de las caderas y llévalas hacia atrás para palpar la curva del sacro. Continúa hacia abajo entre la hendidura de tus nalgas hasta llegar al coxis, el extremo de tu columna vertebral. Después baja las manos hacia la parte delantera de los huesos de las caderas hasta el hueso púbico. Los huesos iliacos se separan ahí para formar el arco púbico, que rodea el clítoris y la vulva.

El espacio entre el coxis y el arco púbico es la salida de la cavidad pélvica a través de la cual nace tu hijo. Aunque parezca muy pequeña el cuerpo tiene una serie de mecanismos para proporcionar más espacio a tu bebé. Esta adaptabilidad permite a la mayoría de las mujeres dar a luz sin problemas sea cual sea su tamaño o el de su bebé.

La cavidad de la pelvis es como un cilindro corto en cuyo borde encaja perfectamente la parte inferior del útero. La entrada es más ancha de un lado a otro, mientras que la salida es más ancha de adelante atrás.

La cabeza de tu bebé es más ancha de adelante atrás, y sus hombros son más anchos de un lado a otro, así que tiene que girar para atravesar tu pelvis. Cuando se encuentra con la espalda hacia la parte delantera de tu cuerpo, la mejor posición para parir, entra en la pelvis de lado para adaptarse a la forma del borde, se da la vuelta para pasar por debajo del arco púbico y sale mirando hacia la parte posterior de tu cuerpo. Al mismo tiempo, su cuerpo entra en el borde con la espalda hacia tu hueso púbico y gira hacia un lado para pasar a través del arco púbico.

Durante el embarazo se segregan grandes cantidades de hormonas para ablandar los ligamentos, el tejido conjuntivo duro y fibroso que une los huesos. Esto proporciona más movilidad a las articulaciones sacroiliacas, que unen la pelvis al sacro, y a la sínfisis púbica, que une los huesos iliacos en la parte delantera. El arco púbico se puede dilatar más de un centímetro durante el parto.

Mover el cuerpo con libertad aumenta los beneficios de las hormonas. Si separas los muslos, por ejemplo, la articulación sacroiliaca se ensancha de forma natural. Cuando la parte superior de la columna vertebral se mueve hacia un lado el sacro se mueve hacia el otro, de modo que si te inclinas hacia atrás desde la cintura el sacro se mete hacia dentro y se cierra la cavidad pélvica; pero si te inclinas hacia delante el sacro sale hacia fuera y se abre la pelvis.

El cerebro de un bebé es como una gomaespuma protegida por los sólidos pero flexibles huesos del cráneo. Estos huesos están unidos con «juntas» de un duro tejido que se pueden superponer durante el parto sin dañar el cerebro. Las contracciones y los músculos del suelo de la pelvis moldean la cabeza de tu bebé para que pase a través del arco púbico. En las semanas posteriores al parto las juntas se funden y quedan las fontanelas, las zonas blandas con forma de diamante que desaparecen a medida que crece el bebé.

La protección del útero

Sostenido por tu pelvis, tu bebé puede crecer cómodamente en su primer hogar. Para el final del embarazo el útero tiene aproximadamente el tamaño y el peso de un melón grande, con paredes tan finas como una cáscara de melón, pero lo bastante musculoso para mantener a tu bebé durante nueve meses antes de abrirse unas cuantas horas para permitir que salga.

El útero está compuesto por capas de músculo liso o involuntario como el que permite que el corazón se contraiga y se relaje de forma automática. El músculo liso está controlado por las hormonas para que pueda realizar las funciones esenciales del organismo sin ningún esfuerzo por tu parte, lo cual te permite concentrarte en otras cosas. A diferencia del músculo óseo que se controla de forma voluntaria —puedes decidir caminar más rápido para llegar a tiempo a algún sitio—, aunque quieras no puedes acelerar el parto.

Las fibras musculares del útero se contraen siempre automáticamente para mantener su tono y hacer que se mantenga sano, pero cada fibra actúa de forma independiente, y para dar a luz tienen que trabajar unidas. Unas semanas después de la concepción las hormonas empiezan a conectar y coordinar las fibras musculares individuales. Cuando este proceso se acelera se pueden sentir contracciones de Braxton Hicks, o contracciones prácticas indoloras, o notar que el útero está tan duro como un balón de fútbol durante unos segundos.

Las contracciones de Braxton Hicks son aleatorias al principio, pero poco a poco van adquiriendo ritmo a medida que las fibras musculares comienzan a trabajar unidas. Las contracciones de un parto rápido son bastante similares, pero a medida que las conexiones se completan y el útero funciona como un gran músculo son cada vez más fuertes y coordinadas.

Tu bebé entra en el canal del parto a través del cérvix, que está compuesta principalmente por fibras horizontales y tejido conjuntivo elástico. El cérvix es como un tubo de unos tres centímetros de longitud sellado con un tapón mucoso. Un extremo u orificio conduce al útero y el otro a la vagina. Antes de ponerte de parto, las hormonas que lo mantienen cerrado durante el embarazo se retiran y se sustituyen por prostaglandinas para que se ablande.

En un primer parto el orificio interno suele desaparecer o borrarse antes de que el externo comience a dilatarse, como al estirar un jersey nuevo de cuello vuelto sobre la cabeza. Si ya has tenido un hijo tu cérvix puede borrarse y dilatarse al mismo tiempo, como al ponerte un jersey que te gusta mucho. Las membranas de la bolsa de aguas se separan parcialmente del útero y el tapón mucoso se desprende.

Durante el parto las fibras musculares individuales se acortan con cada contracción, de forma que el espacio interior del útero se reduce y el bebé ejerce una presión suave y constante contra el cérvix para ayudar a que se dilate.

La parte superior del útero tiene una mayor proporción de fibras musculares longitudinales que se contraen con más fuerza; por lo tanto, cuando la parte superior se endurece la zona que rodea el cérvix se ablanda y se abre.

Sin embargo, las contracciones hacen algo más que abrir el cérvix y dejar salir a tu bebé. El músculo liso es como látex: cuanto más se estira con más fuerza se contrae. Si la cabeza del bebé está inclinada se estira más una zona del útero y las contracciones son más fuertes en esa zona. Esto ayuda a encajar la cabeza del bebé para que se encuentre en una mejor posición para pasar a través de la pelvis.

Las capas musculares del útero funcionan como la estructura de una cama elástica, que está diseñada para ayudar al saltador a caer en el centro y a prepararse para el siguiente salto. De igual manera que esto no es posible si se coloca algo firme debajo de una cama elástica, la presión de las correas de un monitor fetal, o la columna vertebral de la madre si está tumbada boca arriba, pueden impedir que el útero se contraiga de un modo eficaz.

Puesto que tu bebé necesita una buena provisión de oxígeno hasta que nace, y puede introducir aire en sus pulmones, las células músculares de la zona de la placenta crecen más, se estiran menos y no se contraen con tanta fuerza. Esta zona del útero recibe más cantidad de hormonas que reducen las contracciones durante el embarazo, posiblemente segregadas por el bebé. Cuando nace y el cordón umbilical deja de latir, o se ata y se corta, la zona se contrae con más fuerza para expulsar la placenta.

Un baño de hormonas

Las hormonas regulan el delicado proceso que comienza preparando al útero para el parto, hace que funcione bien todo el tiempo necesario y termina con el nacimiento de tu bebé. Son «familias» estrechamente relacionadas de sustancias químicas segregadas por las glándulas para regular el funcionamiento del resto de los órganos. Controlan las respuestas fisiológicas y el comportamiento racional que diferencia a los humanos de los animales.

Las hormonas son las responsables de que tu útero pueda albergar a tu bebé durante los nueve meses de embarazo, y luego producen el efecto contrario dejando que el bebé salga después del periodo relativamente corto del parto.

Tu cerebro está físicamente conectado con otras zonas de tu cuerpo a través de nervios que funcionan como una red telefónica, enviando respuestas rápidas con una serie de impulsos. El mensaje de que algo es doloroso llega tan rápido que es casi automático, y te da tiempo a considerar la situación y decidir qué hacer. Después tu cerebro envía instrucciones como «muévete» a través de tu sistema hormonal.

Algunas hormonas transmiten mensajes con tanta rapidez como los nervios; por ejemplo, el miedo inunda tu cuerpo de adrenalina para impulsarle a actuar. Otras son más complejas y más lentas, compiten por los mismos receptores y llevan diferentes mensajes. Por ejemplo, el estrógeno aumenta tu deseo sexual cuando llega a las células receptoras de tu cerebro, pero también le dice al útero que se prepare para recibir un óvulo y hace que los huesos absorban el calcio de la sangre.

Las hormonas se pueden transmitir de distintas maneras. Las glándulas salivales utilizan conductos para llevarlas a zonas determinadas, mientras que la glándula tiroides las vierte directamente en la sangre. Los ovarios y los testículos utilizan ambos métodos.

Las glándulas controlan las instrucciones cotidianas que hacen que tu cuerpo funcione sin ningún esfuerzo, y las instrucciones necesarias para conseguir algo ocasional pero dramático, como dar a luz. Nunca actúan de manera independiente, y realizan un delicado ejercicio de equilibrio para ajustarse a los niveles que el cerebro considera «adecuados» para una situación concreta.

El sistema hormonal del cuerpo es también el vínculo entre las acciones y las emociones, que relaciona tu forma de experimentar e interpretar el mundo con tus acciones. Al controlar y equilibrar la secreción de hormonas tu cerebro supervisa tu comportamiento. Tu personalidad y tus experiencias pasadas y presentes determinan lo que tu cerebro considera más adecuado hacer.

La parte de tu cerebro que proporciona el enlace entre estos dos sistemas, relacionando tus sentimientos y acciones con el modo en que tu cerebro interpreta el mundo, es el hipotálamo. Es, por así decirlo, el comandante que controla la glándula pituitaria, que a su vez controla la producción de las glándulas endocrinas.

Si tu cuerpo fuera una fábrica de ropa tu cerebro sería el jefe ejecutivo que predice la moda de la próxima temporada y decide qué se va a fabricar; tu hipotálamo sería el encargado de conseguir las telas y los accesorios adecuados; tu glándula pituitaria sería el supervisor que controla al personal y tus glándulas endocrinas serían los operarios que obedecen las órdenes.

Cuando tu cerebro decide que debes estar alerta segrega hormonas que aumentan el nivel de estrés para ayudarte a adaptarte a una nueva situación. Aunque demasiado estrés puede ser malo, la cantidad adecuada ayuda a sobrevivir. La adrenocorticotropina (ACTH), la betaendorfina y el cortisol (véase recuadro de p. 49) ayudan a tu bebé a afrontar el parto y a responder a su nuevo entorno. El aumento del nivel de estas hormonas puede indicar a tu cuerpo que debe prepararse para el parto.

Escondido en tu cerebro, detrás de los ojos, hay un reloj interno regulado por la luz y la oscuridad en el que también pueden influir los hábitos. Regula el ritmo de tu cuerpo, el ciclo del sueño, la temperatura, la producción de hormonas y otra serie de funciones. La producción de algunas hormonas como el cortisol se reduce a partir de las 4 de la mañana para mantener su producción durante la noche, cuando hay menos posibilidades de que necesites estar alerta, y vuelve a aumentar de madrugada. Para cuando te despiertas tus hormonas están de nuevo en los niveles habituales durante el día.

Los ritmos circadianos pueden influir en el comienzo del parto. Aunque los médicos afirman que los partos se producen en cualquier momento del día o de la noche, muchos comienzan durante las horas de oscuridad. Algunas mujeres sienten contracciones durante varias noches seguidas antes de ponerse de parto, quizá porque los bajos niveles de cortisol que tienen a esas horas les ayudan a liberar estrógeno.

Tu cerebro ordena a tus ovarios que produzcan más estrógeno para terminar de conectar las fibras musculares del útero y hacer que se contraiga con más fuerza. Al mismo tiempo descienden los niveles de progesterona, soltando los frenos hormonales que detenían las contracciones durante el embarazo, y las prostaglandinas ablandan el cérvix para que se dilate con más facilidad.

Cuando tu cerebro considera que todo está bien, el hipotálamo ordena a la glándula pituitaria que segregue oxitocina, las contracciones son cada vez más fuertes y comienza el parto.

Hormonas del parto

El **estrógeno** lo producen los ovarios y la placenta. Ayuda a tu cuerpo a absorber el calcio y prepara al útero para el parto conectando las fibras musculares individuales para que trabajen unidas. En un parto normal se necesitan elevados niveles de estrógeno.

La **adrenocorticotropina (ACTH)** prepara tu mente y tu cuerpo para actuar. Te ayuda a estar más alerta y hace que se produzca cortisol.

El **cortisol** libera grasas y aminoácidos almacenados en el cuerpo para ayudarte a afrontar el estrés. Los niveles altos hacen que los recursos de tu cuerpo dejen de aumentar para sobrevivir a corto plazo. Durante el parto se liberan surfactantes pulmonares adicionales, unas sustancias que preparan a tu bebé para respirar.

La **betaendorfina** es una de las hormonas anti-estrés que da placer. Se libera junto con el cortisol y ayuda a regular las hormonas sexuales femeninas, como el estrógeno, bloqueando las instrucciones a los ovarios. Puede retrasar el parto para darte tiempo a relajarte si estás un poco estresada y calmar el dolor.

La **oxitocina** hace que los músculos se contraigan durante el orgasmo, el parto y la lactancia (cuando la leche acumulada «baja» para el bebé). Te ayuda a enamorarte de tu pareja o de tu hijo. Hacia el final del embarazo tu bebé libera oxitocina, que también puede ayudar a provocar el parto.

Un parto natural

Cuando estás preparada para el parto tu útero es como un coche preparado para un viaje, con el motor en marcha y el embrague en punto muerto. Tu hipotálamo es el conductor, y tus hormonas controlan tus contracciones del mismo modo que el freno y el acelerador controlan el movimiento de un coche.

Sorprendentemente, no se sabe con exactitud qué hace que comience un parto, pero es probable que lo provoque tu bebé. Antes de que empiece un parto tiene que haber varias cosas en orden, que incluyen un bebé lo bastante maduro para sobrevivir y un ambiente en el que te sientas segura y relajada para dar a luz.

La progesterona reduce las contracciones, y cuando se deja de producir se sueltan los frenos y se segrega oxitocina para acelerarlas. Al principio las contracciones suelen ser lentas, pero el ritmo del parto aumenta como el *Bolero* de Ravel, la música que hicieron famosa los patinadores Torville y Dean en los años ochenta. Cada contracción abraza a tu bebé, pero también le deja menos espacio, y para evitar que tenga que soportar abrazos durante mucho tiempo las contracciones son cada vez más fuertes y frecuentes para que el cérvix se dilate con más rapidez.

Cuanto más favorable sea la posición de tu bebé más posibilidades hay de que tu cérvix se abra rápidamente. A medida que se dilata las glándulas pituitarias segregan cada vez más oxitocina para mantener en marcha el proceso. Las endorfinas, que se liberan en grandes cantidades para calmar el dolor, pueden hacer que te sientas desganada y no quieras que te molesten de ninguna manera.

Cuando el cérvix se ha abierto lo suficiente tu bebé pasa del útero al canal del parto. La presión continua contra los músculos con forma de plátano del suelo de la pelvis alinea su cabeza con tu arco púbico. Los músculos del suelo de la pelvis se estiran hacia los lados para permitir que pase tu bebé, y este estiramiento produce contracciones que ayudan a empujar. Tu cuerpo se llena de adrenalina para proporcionar la energía suficiente y estimular el reflejo expulsivo final con el que nace tu bebé.

Después de un parto natural, el cóctel de hormonas hace que tu bebé y tú estéis alerta, con los ojos bien abiertos y especialmente sensibles el uno hacia el otro. El contacto visual, tan importante para enamorarse, ayuda a crear ese vínculo entre los dos. Mientras tanto, la placenta se desprende y los vasos sanguíneos se cierran para evitar hemorragias. Durante los siguientes días, otras contracciones hacen que tu útero se encoja y recupere el tamaño que tenía antes del embarazo.

Una montaña rusa

El parto no es simplemente un proceso mecánico. A diferencia del combustible que hace funcionar un coche, en la secreción de hormonas influyen tus reacciones a los factores externos. Si corres puedes sentir que tu corazón late más deprisa, y si te sobresaltas puedes sentir cómo se agita, pero la mayor parte del tiempo no eres consciente de cómo funcionan tus hormonas.

Durante el parto tu cerebro interpreta cómo te sientes y controla el flujo hormonal para acelerar o reducir las contracciones en consecuencia. Un parto rápido puede ser excitante, pero también puede asustar porque sabes que es «eso» y que no hay vuelta atrás. La mayoría de las mujeres necesitan acostumbrarse a la sensación de las contracciones y a la idea del parto antes de poder relajarse y someterse a él por completo.

Cuando las contracciones son más fuertes el dolor te advierte que vayas a un lugar seguro para dar a luz. Sin embargo, las contracciones que en casa son fuertes suelen desaparecer al llegar al hospital porque al cambiar de ambiente se inhibe de forma inconsciente el flujo hormonal. Cuando te sientes cómoda en tu nuevo entorno las contracciones aumentan de nuevo, pero pueden tardar bastante tiempo. Necesitas sentirte segura para que el proceso del parto vaya bien.

En las primeras fases del parto, el mecanismo mediante el cual el miedo reduce las contracciones o las detiene por completo no se comprende del todo, pero ser capaces de interrumpir el parto permitía a las mujeres de las tribus de cazadores y recolectores esconderse sin hacer ningún ruido por ejemplo mientras pasaba un tigre y, por lo tanto, puede ser un mecanismo de supervivencia. Hoy en día te da tiempo para ir a un lugar en el que puedes relajarte o buscar a alguien que te pueda proporcionar la ayuda que necesitas.

Dar a luz es siempre un acontecimiento trascendental para una mujer. El psicólogo Abraham Maslow lo definía como una «experiencia cumbre», un acontecimiento que ayuda a crecer personalmente, que da una sensación de seguridad y hace que florezca la personalidad.

Se dice que las experiencias cumbre dan sentido a la vida y hacen que merezca la pena. Una experiencia positiva del parto puede tener este efecto, pero son los sentimientos que rodean al acontecimiento lo que produce la sensación de triunfo. La autodeterminación forma parte de esto.

Hay tantos mitos sobre lo maravilloso que puede ser el parto como sobre lo traumático que puede resultar, pero quizá te sorprenda la cantidad de fuerza a la que eres capaz de acceder cuando te sientes segura y poderosa.

Puedes comenzar el parto con poca confianza en la capacidad de tu cuerpo para dar a luz o en tu poder para reclamar lo que quieres. Dar a luz te lleva más allá de tus límites; cuando no te queda más remedio que seguir adelante creces como persona. Las mujeres que tienden a verse como conejos asustados suelen descubrir que en realidad son como leonas.

La trampa de la tecnología

El parto natural puede durar más y ser más doloroso de lo que piensan las mujeres, sin ninguna garantía de que transcurra con normalidad hasta que nazca el bebé. Como es comprensible, en un mundo al que le gusta la certeza, que busca resultados rápidos con el mínimo esfuerzo, existe la tentación de intervenir para hacer el parto más fácil o previsible.

Hay pocas evidencias absolutas para recurrir a la tecnología durante el parto, y no siempre está claro de antemano si va a ser una ayuda o un obstáculo. La tecnología tiene ventajas cuando un parto se complica, pero no mejora los resultados cuando es normal. Por el contrario, a veces crea nuevos problemas que sólo se pueden solucionar con más tecnología.

Para algunas mujeres los trastornos comienzan con el viaje al hospital y los procedimientos de admisión que lleva a cabo una comadrona a la que no conocen. La madre se tumba en la cama, conectada a un monitor que registra los latidos de su bebé, y en vez de adaptarse al ritmo de sus contracciones observa los parpadeos de la máquina que tiene al lado. La comadrona puede estar demasiado ocupada para darle los ánimos que necesita para levantarse y moverse, así que se queda en la cama aunque pensaba estar activa durante el parto.

Cada cuatro horas le hacen una exploración para controlar su desarrollo, pero el tiempo se le hace eterno. Con su pareja junto a ella y nada para mantener su mente ocupada, empieza a desear que el parto se acabe cuanto antes. La frustración hace que el dolor parezca más intenso, y cuando le ofrecen un goteo para acelerar el parto lo acepta encantada. Las contracciones son más dolorosas, así que pide una epidural aunque en realidad quería un parto natural.

El veinte por ciento de las madres primerizas tienen partos lentos, y se van acostumbrando a la sensación de las contracciones y liberan más hormonas a medida que adquieren confianza en sí mismas. Este tipo de parto puede ser más fácil de afrontar que un parto muy rápido, y la mayoría de las mujeres pueden dar a luz sin problemas con paciencia, pero necesitan ayuda.

Hoy en día un parto lento se considera algo que hay que evitar a toda costa, pero controlar un parto normal puede ser un gesto de falsa amabilidad. Puede alejar a las mujeres y a las comadronas del conocimiento intuitivo que les dice lo que deben hacer para que el parto resulte más llevadero. Cuando se diseñaron los gráficos para registrar el desarrollo del parto, los partos largos comenzaron a verse como anormales incluso cuando no había complicaciones. En muchos hospitales las comadronas conectaban las máquinas para acelerar el parto y monitorizar al bebé, pero no reconfortaban a la madre ni la animaban a caminar para que sus contracciones fueran cada vez más fuertes de un modo natural.

Cuando todo el mundo espera que un parto sea normal, un desarrollo lento no se considera en sí mismo una razón para intervenir. Los procedimientos que tienen poco que ver con la seguridad se reducen al mínimo y las comadronas pueden apoyar a las madres, pero cuando la tecnología se considera una tabla de salvación y las comadronas están acostumbradas a depender de ella encuentran razones para utilizarla aunque otros no lo consideran necesario. Sólo son capaces de evaluar el desarrollo de un parto por el ritmo de dilatación de un gráfico.

Todo el mundo está agradecido cuando la tecnología ayuda a un bebé prematuro, reduce un parto excesivamente largo o salva a una madre o un bebé con problemas; pero a veces surgen complicaciones por no comprender bien el proceso normal del parto o utilizar indebidamente la tecnología.

Un parto activo no es necesariamente fácil, pero algunas intervenciones y métodos para aliviar el dolor (por ejemplo la epidural o el goteo para acelerar el parto) pueden hacer que resulte difícil o imposible aprovechar las ventajas de la fisiología natural que se ha perfeccionado durante millones de años.

Parto activo

- Las posturas verticales tienden a acortar el parto porque la gravedad empuja la cabeza de tu bebé hacia el cérvix (el cuello del útero), con lo cual se acelera la dilatación.
- Tu útero se inclina hacia delante con cada contracción, moviéndose con la gravedad si te echas hacia delante. Esto hace que las contracciones sean más eficaces y menos dolorosas.
- Cambiar de postura y mover la pelvis no elimina el dolor, pero ayuda a controlarlo sin tomar medicamentos.
- Al arrodillarte y ponerte en cuclillas se agranda la cavidad pélvica, proporcionando más espacio a tu bebé.
- Cuando te inclinas hacia delante se abre la base de tu columna vertebral, aumentando el tamaño de la cavidad pélvica hasta un 30 por ciento.
- Empujar puede resultar más fácil en una postura vertical porque la gravedad ayuda, y al tener la pelvis libre puedes arquear la espalda para enderezar la curva del canal del parto.
- Si el parto es lento porque tu bebé está mal colocado, el movimiento puede ayudar a que adopte una posición más favorable.

Perfectamente colocado

Nadie sabe qué hace que un bebé adopte una buena posición para nacer o por qué algunos bebés se resisten más que otros, pero cuando un bebé no está bien colocado el proceso natural del parto no es tan fácil. En algunos partos hace falta ayuda, y uno de los factores decisivos es la posición que el bebé adopta en el útero.

Los bebés dan vueltas y saltan como delfines durante el embarazo para desarrollar sus músculos, pero en las últimas semanas la mayoría se alinea con la columna vertebral de su madre y se coloca cabeza abajo. Un bebé en una posición favorable pasa por la pelvis con más facilidad. La posición ideal para un bebé es cabeza abajo con la espalda hacia la parte delantera de tu cuerpo, las rodillas dobladas, los brazos cruzados y la barbilla metida hacia dentro. Cuando un bebé está acurrucado de este modo su cabeza se adapta a la forma de la pelvis y la coronilla encaja en el cérvix, ayudando a que se dilate mejor.

Alrededor del 85 por ciento de los bebés se encuentra con la espalda hacia el costado de su madre o un poco girado hacia delante (posición lateral o anterior; véase Figura 1). Ponte las manos a un lado del abdomen y busca la espalda de tu bebé en la parte de abajo. Puedes notar una presión debajo de las costillas cuando el bebé mueva el trasero, o pequeños golpecitos entre la

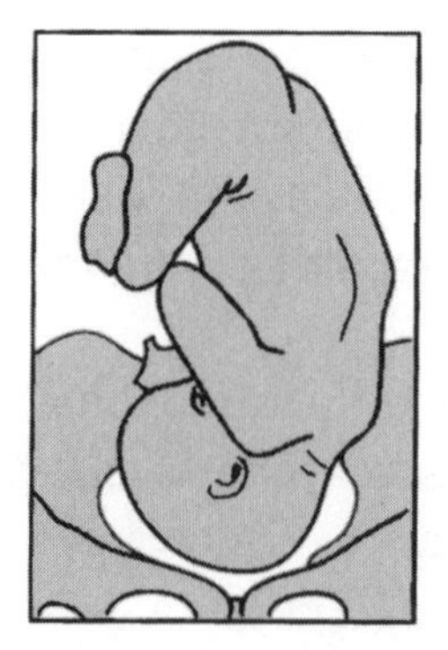
1

cadera opuesta y las costillas cuando estire una pierna. Los latidos del bebé se oirán en la zona inferior, entre tu costado y la parte baja del vientre. Si no tiene la cabeza encajada puedes sentirla justo encima del hueso púbico.

A un bebé en esta posición le queda muy poca distancia para darse la vuelta y pasar a través del canal del parto. Durante el parto, la presión del arco púbico puede moldear la cabeza del bebé en forma de óvalo para que pase con más facilidad.

A los bebés les gusta estar cómodos. Uno de cada diez se coloca de espalda (posición posterior; véase Figura 2), normalmente para evitar la placenta, que se encuentra en la pared frontal del útero. Tu abdomen puede estar un poco aplanado debajo del ombligo, y es posible que notes golpecitos en una zona extensa y veas pequeños bultos alrededor del ombligo cuando el bebé se mueva. La comadrona puede tener problemas para detectar la espalda de tu bebé, y los latidos se oirán en un costado, entre el hueso de la cadera y las costillas.

Alrededor de un uno por ciento de los bebés adopta una posición transversal, en ángulo recto con la columna vertebral de la madre. En ese caso tendrás el abdomen ancho y ladeado, con un bulto duro sobre el hueso de la cadera (la cabeza) y otro más blando (el trasero) en el lado opuesto. Esto no suele ocurrir en un primer o segundo embarazo a no ser que haya mucho líquido amniótico; normalmente la madre ha tenido varios embara-

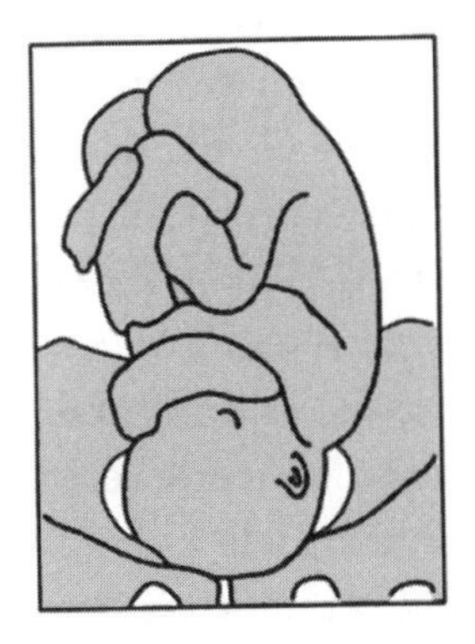
2

zos y sus músculos abdominales están relajados. Si tu bebé se mantiene en una posición transversal la única opción es una cesárea.

Aproximadamente un setenta y cinco por ciento de los bebés se coloca en diagonal en el útero (posición oblicua). De este modo la cabeza del bebé no encaja en la pelvis, y notarás que se encuentra torcido desde debajo de las costillas en un lado hasta la cadera opuesta. Si la espalda del bebé se encuentra hacia la parte delantera de tu cuerpo es posible que no sientas patadas; de lo contario puedes notarlas en la parte superior del abdomen. Casi todos los bebés oblicuos se alinean antes de que comience el parto.

De nalgas

Al menos un bebé de cada cuatro está de nalgas en la semana veintiocho del embarazo. En cualquier momento a partir de la semana treinta y dos en un primer parto y la semana treinta y cuatro en partos posteriores, el 96 por ciento de los bebés se ponen cabeza abajo de forma espontánea. Si un bebé está sentado en la pelvis, acurrucado con las rodillas dobladas, se encuentra en una posición de nalgas «completa» (véase Figura 3). Algunos bebés tienen las piernas estiradas con los pies junto a las orejas (posición de nalgas extendida o «abierta»; véase Figura 4), o una o ambas piernas debajo del trasero (posición de nalgas «podálica»). Estas posiciones suelen ser más habituales en un primer embarazo porque el útero es menos flexible.

Si tu bebé está de nalgas sentirás su cabeza dura y redonda en la parte superior del útero, debajo las costillas. Sin embargo, a veces es difícil de detectar, e incluso un tocólogo o una comadrona con experiencia pueden equivocarse.

Un bebé que nace de cabeza puede respirar inmediatamente, y en cuanto aparece la cabeza suele salir el cuerpo. El trasero de un bebé que viene de nalgas puede pasar por el cérvix al canal

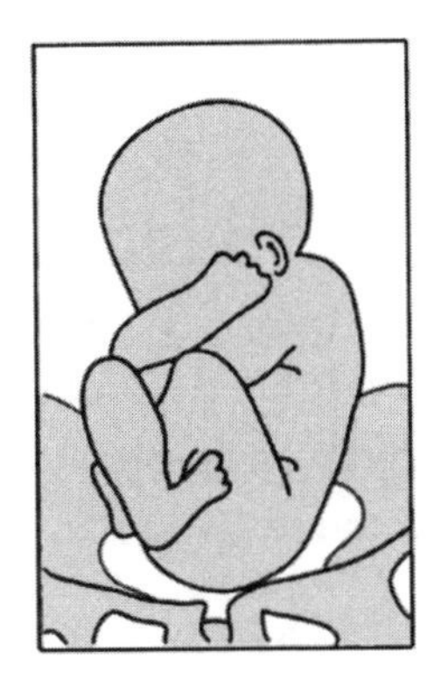
3

4

del parto, dilatar los músculos del suelo de la pelvis y hacer que sientas la necesidad de empujar antes de que el cérvix esté completamente abierto; si la cabeza tarda en salir por alguna razón el bebé puede sufrir.

La mayoría de los bebés que vienen de nalgas pueden nacer sin problemas de un modo normal si la pelvis de la madre tiene una tamaño razonable, el bebé está bien acurrucado y el médico o la comadrona tienen experiencia; pero quizá te interese animar a tu bebé a darse la vuelta antes del parto.

Los bebés tienen la vista y el oído desarrollados para la semana veintidós, y pueden seguir una luz o un sonido que capte su atención. En Alemania se utiliza esto para animarles a darse la vuelta. La luz de una linterna se ve a través del abdomen, y la frecuencia de una bola china es fácil de oír para un bebé. Mueve una linterna o una bola china de un lado a otro cerca de la cabeza de tu bebé para atraer su atención. Luego bájala despacio hacia un lado del abdomen, sin dejar de moverla, para intentar que tu bebé la siga.

Las técnicas tradicionales como el gateo se pueden intentar desde la semana treinta y cuatro, antes de que la cabeza del bebé encaje en la pelvis. Ponte a cuatro patas, mueve la cabeza hacia delante, da un pequeño paso con una rodilla y luego lleva la mano opuesta hacia delante. Gatea de este modo durante diez minutos dos veces al día con un ritmo cómodo y equilibrado;

después inclínate hacia delante con el trasero más alto que el pecho de diez a veinte minutos.

Si lo prefieres, recuéstate de diez a veinte minutos cada dos horas durante cinco días con las caderas levantadas (para que el trasero de tu bebé quede separado de la pelvis) y las piernas sobre una silla. Relájate y balancea las caderas de un lado a otro, o ponte las manos sobre el vientre y date un suave masaje en el sentido que pueda ayudar a tu bebé a darse la vuelta.

¿Qué significa?

Situación: si tu bebé está en posición vertical, horizontal o diagonal en tu útero.

Presentación: la parte del cuerpo del bebé que puede nacer antes.

De vértice: cabeza abajo, con la barbilla del bebé metida hacia el pecho.

Cefálica: cabeza abajo, pero la barbilla puede estar metida hacia dentro o no.

De nalgas: con el trasero hacia abajo.

Occipitoanterior: la parte posterior de la cabeza del bebé (occipucio) se encuentra en la parte delantera de tu cuerpo.

Occipitoposterior: la espalda de tu bebé está apoyada en la parte posterior de tu cuerpo.

Oblicua: el bebé se encuentra torcido, con la cabeza debajo de tus costillas y el trasero en la cadera opuesta.

Transversal: tu bebé está en posición horizontal en el útero.

Encajada: la cabeza de tu bebé está encajada en la pelvis. La medida del borde se mide en quintos y, por lo tanto, un quinto significa que está encajada casi por completo.

No encajada: la cabeza del bebé no está encajada, y se puede sentir encima del hueso púbico.

Situación inestable: tu bebé continúa cambiando de posición después de la semana treinta y seis.

Bebés especiales

Si un bebé está en una posición difícil el parto puede ser largo mientras las contracciones le hacen girar o meten su barbilla hacia dentro; pero si tu pelvis tiene un buen tamaño y estás lo bastante relajada para segregar las hormonas necesarias te puede resultar más fácil que para alguien cuyo bebé está en una posición ideal.

Algunos bebés son lentos a la hora de recibir el mensaje de que si se alinean con la cabeza hacia abajo sería más fácil para todos, pero acaban comprendiéndolo. La mejor manera de ayudar a tu bebé a adoptar una buena posición es mantenerte activa y utilizar posturas verticales siempre que sea posible durante los dos últimos meses de embarazo (véase «Guía rápida», pp. 65 y 66-67).

La cabeza de un bebé en una posición perfecta encaja en el cérvix como el extremo puntiagudo de un huevo en una huevera. Si el bebé se encuentra con su espalda contra la tuya la parte superior de su cabeza está demasiado plana para encajar perfectamente, y los huesos del cráneo no se pueden moldear tan bien. Si la espalda del bebé está hacia la parte delantera de tu cuerpo pero tiene la barbilla extendida su frente o su cara quedarán sobre el cérvix, como un huevo inclinado en una huevera.

No se puede obligar a ningún bebé a adoptar una posición favorable, y si se resiste a hacerlo puede haber una razón. Algunos bebés se encuentran de un modo determinado por la forma del útero o la posición de la placenta, y no se puede hacer mucho al respecto salvo pensar que el bebé ha elegido la posición más adecuada para él y afrontarlo lo mejor posible.

La combinación de varios factores puede hacer que el parto resulte difícil, por ejemplo un bebé en una mala posición, una pelvis pequeña o unas contracciones débiles. El parto natural nunca ha sido la mejor opción para todo el mundo, y si te ocurre a ti te alegrarás de que haya medicamentos y procedimientos tecnológicos para ayudarte. Cuando cambies de opinión para adaptarte a las circunstancias seguirás teniendo el parto que quieras.

¿Puede ser natural un parto hoy en día?

Desde el punto de vista fisiológico, las mujeres son más capaces de dar a luz de un modo natural actualmente que en cualquier otra generación. Están mejor alimentadas, gozan de mejor salud y no tienen tantos hijos.

El potencial para parir de una forma natural puede ser mayor, pero por varias razones no es fácil de conseguir. La sociedad en la que vivimos tiene un concepto diferente del riesgo, respeta a los profesionales de la medicina y confía en la tecnología más que en la intuición.

Tener un parto natural en el hospital es perfectamente posible, pero a veces la cultura actual y la actitud del personal hacen que resulte difícil. La seguridad que sienten algunas mujeres sabiendo que la tecnología está ahí «por si acaso» puede hacer que les resulte más fácil someterse a su parto; pero muchos hospitales que en teoría realizan partos naturales recurren a la tecnología con cualquier excusa.

Dar a luz es posible casi en cualquier parte, pero es más fácil en unas situaciones que en otras. Las contracciones, controladas por las mismas hormonas responsables del orgasmo, pueden ser inhibidas por la ansiedad o las molestias; las endorfinas pueden aliviar el dolor, pero sólo si las mujeres están lo suficientemente relajadas para que fluyan bien. Cuando una mujer no se siente apoyada aumenta su ansiedad y se reduce su confianza en su capacidad para dar a luz.

Si una madre conoce a su comadrona no tiene que adaptarse a caras nuevas o responder a tantas preguntas. Hay más posibilidades de que se sienta apoyada de una forma activa y no la dejen sola mientras todo transcurra con normalidad. El trabajo de la mayoría de las comadronas está organizado para cubrir toda una planta de maternidad a expensas de la atención continua a una mujer, pero a algunas les resulta difícil confiar en una comadrona a la que no han visto nunca.

Para una mujer sensible a su entorno y reservada por naturaleza, un parto natural resulta más fácil en casa. El ritmo del parto no se altera con el viaje o la adaptación a un nuevo ambiente. Si no está aún de parto puede seguir con sus tareas diarias para distraerse y moverse por la casa en vez de estar en una habitación con una cama todo el tiempo. Puede tumbarse para descansar, pero se levanta de nuevo y adopta de forma instintiva las posturas que ayudan al proceso natural.

Cuando se establece el parto la comadrona se queda para proporcionarle el apoyo necesario. Evalúa su desarrollo mediante otros síntomas, y sólo realiza una exploración interna si hay que tomar alguna decisión importante.

Para las mujeres que quieren dar a luz de un modo natural, pero no en casa, los centros dirigidos por comadronas o una habitación personalizada en un hospital pueden proporcionar un ambiente más agradable. Las rutinas como las exploraciones internas, que no son esenciales para la seguridad aunque hagan que una planta de maternidad funcione bien, se pueden reducir al mínimo para no interrumpir el proceso del parto natural.

La tecnología hace que el parto sea más fácil y seguro para la gente con problemas, pero no ayuda a todo el mundo. El reto que debemos afrontar es valorarla en las circunstancias adecuadas, recuperar la confianza perdida en la capacidad de las mujeres para dar a luz y proporcionar al mayor número de mujeres posible un ambiente en el que puedan tener el tipo de parto que quieren.

EN RESUMEN

- El parto se ha perfeccionado durante millones de años. Hoy en día las mujeres son más capaces de dar a luz de un modo natural si lo desean que en cualquier otro momento de la historia.
- El delicado proceso del parto está controlado por hormonas en las que influyen factores externos y fluyen mejor cuando las mujeres se sienten relajadas y apoyadas.
- La posición del bebé puede influir en el desarrollo del parto. Además de dilatar el cérvix, las contracciones hacen que tu bebé adopte la posición más adecuada para encajar en la pelvis.
- La tecnología puede ayudar si un parto es complicado, pero no beneficia a las mujeres que tienen un parto normal y puede causar otros problemas.

GUÍA RÁPIDA: TERAPIAS COMPLEMENTARIAS PARA DAR LA VUELTA A UN BEBÉ

Estas terapias pueden ayudar a un bebé posterior o de nalgas a darse la vuelta. Si tienes alguna duda consulta a un terapeuta cualificado.

- **Acupresión:** la estimulación de los puntos de acupuntura, situados en el borde exterior de los dedos pequeños de los pies, junto a las uñas, hace que los bebés se muevan más y por lo tanto suele ayudarles a darse la vuelta. Aprieta con firmeza los puntos de acupuntura con el dedo índice o el extremo plano de dos bolígrafos durante diez minutos dos veces al día. Pueden hacer falta hasta diez sesiones.
- **Homeopatía:** para dar la vuelta a un bebé de nalgas, un homeópata puede sugerir una dosis de Pulsatilla 200 en la semana treinta y cinco, y una segunda dosis dos días más tarde. Para tratarte tú misma, prueba con una dosis de Pulsatilla 30 cada dos horas después de la semana treinta y cinco un solo día, tomando seis dosis como máximo. Se puede adquirir en farmacias sin receta. Si no estás familiarizada con los remedios homeopáticos pide consejo a tu farmacéutico.
- **Moxibustión:** los acupuntores suelen recomendar *moxa*, una hierba que se quema lentamente. Póntela sobre los puntos de acupuntura para que caliente la piel sin quemarla durante diez minutos dos veces al día un máximo de diez días. De este modo se alteran los niveles de algunas hormonas, pero no se sabe si esto hace que el bebé se dé la vuelta o si es el resultado de los movimientos que se realizan.
- **Jengibre:** los chinos afirman que dan la vuelta al 75 por ciento de los bebés de nalgas con tratamientos de jengibre. Ponte un trozo machacado de raíz de jengibre en los puntos de acupuntura todas las noches y sujétalo con un esparadrapo. Para hacer una masa, trocea o ralla la raíz, cuécela con un poco de agua, cuélala y pásala por un tamiz.

GUÍA RÁPIDA: AYUDA A TU BEBÉ A ADOPTAR UNA BUENA POSICIÓN

Si te inclinas hacia delante, la gravedad ayudará a tu bebé a girar la columna vertebral hacia la parte delantera de tu cuerpo. Si te inclinas mucho hacia atrás tu bebé puede ponerse de espaldas; y si cruzas las rodillas no tendrá sitio para darse la vuelta. Si tienes algún problema de movilidad intenta adoptar estas posturas.

- **Sentada:** ponte hacia delante inclinando la pelvis con las rodillas separadas, y más bajas que las caderas, para que tu bebé tenga espacio para darse la vuelta. Coloca dos almohadas en una silla recta para levantar las caderas, o siéntate al revés apoyándote en una almohada. Ponte cojines en la parte inferior de la espalda para conducir o relajarte en una butaca. Utiliza una silla ergonómica para que parte de tu peso descanse en las rodillas.
- **De pie:** con la espalda derecha, apóyate hacia delante desde las caderas donde sea posible para que la gravedad atraiga la columna vertebral de tu bebé hacia la parte delantera de tu cuerpo. Para que te resulte más fácil pon una caja sólida delante de la cocina o el fregadero.
- **Tumbada:** túmbate sobre el lado izquierdo en la cama, en el sofá o en el suelo cuando veas la televisión para que la gravedad atraiga la columna vertebral de tu bebé hacia el lado izquierdo de tu útero. La forma del útero y la disposición de los órganos internos hacen que haya menos posibilidades de que un bebé que está a la izquierda se dé la vuelta hacia atrás.

Para un bebé en una posición posterior:

- Mantén las rodillas más bajas que las caderas y evita cruzar las piernas.
- Arrodíllate en el suelo para leer, jugar con tus hijos, recoger juguetes o limpiar el suelo.

- Arrodíllate en un cojín, apóyate hacia delante sobre una silla, una pelota grande de goma o tu pareja y gira las caderas durante diez minutos varias veces al día.
- Mécete rítmicamente en una silla o una pelota de goma durante media hora dos veces al día.
- Haz un hueco en un cojín grande para tu vientre y apóyate hacia delante sobre él. Esto puede resultar cómodo por la noche. También puede ayudar una cama de agua y nadar boca abajo.

Para un bebé en una posición oblicua:
Si tu bebé se encuentra en diagonal en tu útero o cambia de posición con frecuencia despúes de la semana treinta y seis puedes probar esta técnica:

- Túmbate boca arriba sobre una toalla de baño colocada a lo ancho. Coloca una toalla de mano enrollada a cada lado de tu vientre. Ponte alrededor la toalla de baño para sujetar las toallas de mano y pide a alguien que la ajuste con imperdibles desde abajo. Al ponerte de pie la presión puede hacer que tu bebé adopte una posición vertical.

Capítulo 3

Sentimientos y temores

Ninguna experiencia humana es inmune al miedo. Durante el embarazo las mujeres se preocupan por lo que comen y por la salud de su bebé; antes de dar a luz les da miedo que el dolor les supere o que se utilice mal la tecnología. Los hombres se preocupan por la seguridad y por lo que puede tener que soportar su pareja. Las comadronas se preocupan por tomar las decisiones correctas; y los médicos se preocupan por las denuncias. Hay mucho en juego, y a todo el mundo le preocupa desesperadamente el resultado.

La preocupación no siempre es mala. Puede impulsar a las madres a dejar de fumar, comer bien y mantenerse en forma, por ejemplo, y a las comadronas a estar atentas durante el parto, lo cual ayuda a reducir la incertidumbre.

La posibilidad de que una mujer sana o un bebé a término sufran daños durante el parto es mínima si se compara con generaciones anteriores. Por ejemplo, hoy en día hay menos de 8 muertes maternas por cada 100.000 partos, mientras que en 1933 hubo 580. Sin embargo, las expectativas y la percepción del riesgo han cambiado.

El miedo es uno de los principales factores que nos impide hacer lo que queremos en la vida, así que merece la pena ponerlo en perspectiva. Se nutre a sí mismo, cambia con el tiempo y puede ser innecesario cuando se basa en falsas creencias sobre el parto.

Para liberarte y tener el parto que quieres es posible que tengas que afrontar las cosas que te dan miedo en vez de evitarlas. Puede que tengas que cambiar tus creencias sobre el parto y ser más consciente de cómo se presenta el riesgo, cómo lo percibes y cómo respondes a la gente que consideras que tiene autoridad. Muchos de los temores que rodean al parto están asociados con todo esto.

Reconocer los temores de los demás y hacer frente a los tuyos es tan importante como cualquier otro preparativo para el parto; si tienes esto en cuenta harás que mejore tu suerte.

El negocio del riesgo

Viajar en avión, comer fuera o cruzar una calle con mucho tráfico son riesgos que asumimos todos los días sin pensar demasiado en ello. Sin embargo un parto es especial. Las mujeres invierten mucho en el embarazo y les preocupa tanto su bebé que, por muy razonables que sean, les parece que el mundo está lleno de peligros.

El riesgo significa una cosa diferente para cada mujer, pero las investigaciones indican que la gente es bastante previsible en cómo lo percibe. Los riesgos desconocidos y los que pueden tener consecuencias graves se suelen sobrestimar. Cuando hay niños implicados o se retrasan las consecuencias de una acción la ansiedad es aún mayor.

Una mujer de veinte años tiene un riesgo relativamente bajo de tener un bebé con síndrome de Down. Ignorando las probabilidades, le horroriza la idea de que su hijo pueda tener alguna anormalidad y le quedan varios meses para averiguarlo normalmente. Su comadrona le informa de los inconvenientes de las pruebas de anormalidad fetal, pero ella decide que son aceptables; no espera que le ocurra nada y no puede soportar la idea de que su bebé tenga una anormalidad.

Algunos culpan a los medios de comunicación por exagerar cualquier riesgo posible, pero los periodistas tienen la misma tendencia que cualquier otra persona a sobrestimar un riesgo cuando es desconocido, puede tener consecuencias graves o hay niños implicados. El interés público y los medios de comunicación se animan entre sí.

A las mujeres embarazadas les influyen mucho los consejos de su médico o su comadrona: la gente que en su opinión tiene una credibilidad especial. Durante los últimos veinte años el concepto del riesgo ha adquirido una gran importancia para la profesión médica. En teoría, la valoración del riesgo debería mejorar la atención porque se pueden tomar medidas de forma anticipada. Sin embargo, cuando se pone a las mujeres en categorías de riesgo empiezan a preocuparse en vez de disfrutar del embarazo sintiéndose especiales y únicas. Creen que si van en contra de los consejos de su médico o se arriesgan lo más mínimo y ocurre algo malo será culpa suya.

Te pueden poner en una categoría «de riesgo», por ejemplo, si te han realizado previamente una cesárea. Esto significa que puede haber alguna complicación, no que tengas una complicación, y debería ser un dato útil para la comadrona. Sin embargo, de un modo sutil, estar en una categoría «de riesgo» puede hacer que te resulte más difícil decidir por ejemplo si quieres tener un parto en casa o en el agua.

El miedo lo pueden fomentar, conscientemente o no, los que desarrollan métodos para controlarlo. Los intereses comerciales alimentan el negocio de la valoración del riesgo determinando qué investigaciones se llevan a cabo, y muchas veces surgen nuevos riesgos cuando hay un producto o una prueba que promete reducirlos. Una vez que se ha identificado un «riesgo» el miedo se nutre a sí mismo. Aumenta la ansiedad y entonces se puede atenuar pagando un precio.

Hace cincuenta años las mujeres eran conscientes del síndrome de Down, pero se consideraba poco común, sobre todo entre las más jóvenes. La amniocentesis es una prueba con la que se puede detectar cultivando células de una muestra de líquido amniótico (el fluido que rodea al bebé) extraída del abdomen. Este procedimiento no se utilizaba mucho hasta 1967, cuando la ley del aborto permitió que el embarazo llegara a término para detectar anormalidades fetales. La ley provocó un aumento de las amniocentesis. Entonces las mujeres comenzaron a precuparse por el síndrome de Down. Se desarrollaron pruebas menos agresivas, pero eran menos precisas. Los resultados positivos falsos crean más ansiedad, así que se buscaron pruebas más fiables.

Las empresas de tecnología médica y farmacéutica gastan grandes sumas de dinero para intentar persuadir a los médicos de los beneficios de productos diseñados para riesgos bastante remotos. Como los amuletos de la Edad Media, el valor de estos productos reside en la sensación de seguridad que ofrecen. Sin embargo, un médico al que le impresiona un nuevo medicamento o aparato da información sobre los riesgos y los beneficios de un modo favorable para la empresa. A partir de ahí es mucho más fácil (si no automático) conseguir la aceptación del público.

El riesgo en perspectiva

Los sentimientos de responsabilidad determinan en gran medida tus acciones y constituyen la base de la percepción del riesgo. Condicionados por tus creencias, por lo que dice la gente y por el contexto en el que se dice, no suelen tener ninguna relación con el riesgo estadístico real.

Si eres consciente de lo inconsistentes que pueden ser los riesgos te resultará más fácil ver tus sentimientos con perspectiva. A veces el riesgo se interpreta basándose en las creencias de los investigadores más que en criterios científicos imparciales y, por lo tanto, un modo de evaluarlo es analizar las pruebas con un punto de vista crítico.

En Inglaterra las mujeres evitan los quesos blandos durante el embarazo porque pueden provocar listeriosis, una infección que afecta a un feto de cada 20.000. En Francia se come mucho brie y camembert y se considera que el riesgo es muy pequeño para preocuparse, pero se realizan pruebas de toxoplasmosis. Esta infección afecta a un feto de cada 50.000, un riesgo que en Inglaterra se considera demasiado bajo para hacer pruebas rutinarias.

Si cien mujeres toman la píldora anticonceptiva correctamente durante un año una se quedará embarazada. Un uno por ciento de las mujeres de cuarenta años tendrá un bebé con síndrome de Down. De cada cien mujeres embarazadas a las que se realiza una amniocentesis para detectar el síndrome de Down, una perderá a su bebé como consecuencia del procedimiento. Estos riesgos son idénticos, pero ¿cómo se valoran?

El riesgo de quedarse embarazada tomando la píldora correctamente o de tener un aborto como consecuencia de la amniocentesis se considera bajo. Cuando el mismo riesgo estadístico se aplica a las anormalidades fetales se presenta como alto. Sin embargo, una mujer que se encuentra con un embarazo inesperado puede estar tan desconsolada como otra que tiene un hijo con síndrome de Down o pierde a su bebé tras una prueba a la que ha decidido someterse.

No es probable que te adviertan de que hay muchas posibilidades de que te quedes embarazada si tomas la píldora, o de que la amniocentesis que te van a realizar puede provocarte un aborto, pero a cualquier mujer de cuarenta años le dicen que hay un alto riesgo de que su bebé tenga una anormalidad fetal. ¿Puede haber más razones comerciales que lógicas para confiar en los medicamentos y la tecnología más que en el cuerpo de las mujeres?

La prisión del miedo

El miedo no es siempre racional, y las mujeres son especialmente vulnerables a sobrestimar los riesgos porque no pueden soportar la idea de que su bebé sufra ningún daño, y mucho menos de ser responsables si llega a ocurrir. Nadie espera ganar unas vacaciones de ensueño en un sorteo; pero ser la persona entre un millón cuyo bebé puede tener un problema parece perfectamente posible.

Todo en la vida entraña riesgos, desde dar un paseo por el campo hasta montarse en una atracción de feria. Puede que no pasees sola por la noche, o que no te montes en una montaña rusa si no parece muy segura, pero estas actividades serían menos divertidas si te centraras especialmente en los riesgos. A veces las cosas que proporcionan más placer son las que otros consideran peligrosas. Puede que a ti no se te ocurra nunca hacer parapente, pero mucha gente lo hace.

Pocas personas quieren realmente una vida en la que se elimine el miedo por completo. Algunas de las experiencias más enriquecedoras, entre ellas tener un bebé, son las que más asustan a veces. Si no eres capaz de mantener el miedo en perspectiva, tu vida y la de tu bebé pueden acabar encerradas en una prisión que habrás construido tú misma.

Todas las madres saben que sólo pueden proteger a su hijo lo mejor posible antes de que nazca, durante el parto y en los años siguientes. Nadie tiene la garantía de una existencia totalmente segura, así que acepta el miedo como lo que es: una parte valiosa de tu vida que te ayuda a tomar decisiones responsables para mejorar el resultado para ti y para tu bebé.

La gente aprende y se desarrolla más cuando se ve obligada a ir más allá de su límite de comodidad. Cuanto más mejoran su criterio y su capacidad más seguros se sienten, y son capaces de afrontar un reto mayor con el mismo nivel de riesgo.

Cuando sea posible valora el riesgo por ti misma en vez de confiar en otros que pueden tener un punto de vista diferente.

Te interesará contar con ellos cuando tengan capacidades que tú no tienes, pero entonces el nivel de riesgo dependerá de su capacidad, no de la tuya, y tendrás que confiar en ellos.

Un exceso de ansiedad puede hacer que el embarazo y el parto sean difíciles, pero puedes tomar algunas medidas para reducir algunos riesgos. Por ejemplo, mejorar tu capacidad para reconocer la tensión y liberarla disminuye el riesgo de que las contracciones sean insoportables y en consecuencia haya que recurrir a una intervención. Si te da miedo el dolor puedes comenzar el parto utilizando técnicas de autoayuda y otros métodos para aliviar el dolor si es necesario (véanse «Guías Rápidas», pp. 90 y 91-92).

Asumir la responsabilidad proporciona un gran poder. El psicólogo Karl Rogers afirma que la necesidad de control personal es básica para los seres humanos; y para muchas mujeres mantener el control personal está estrechamente relacionado con la satisfacción respecto al parto.

Un proceso doloroso

Un parto normal produce un dolor normal, que está relacionado con el esfuerzo más que con los daños. Aunque la perspectiva pueda ser desalentadora, cualquier músculo que se contraiga con tanta fuerza como el útero dolerá; para las mujeres que se sienten relajadas y apoyadas el dolor suele ser soportable.

Algunas mujeres están convencidas de que un parto natural es una agonía y prefieren que les practiquen una cesárea. Otras creen que en estos tiempos no tienen por qué sentir dolores y que la promesa de un parto sin dolor pesa más que los efectos secundarios de una epidural (véanse pp. 91-92). Sin embargo, para muchas mujeres el parto es un reto emocional y espiritual. Les parece que el dolor merece la pena y quieren que les den ánimos para afrontar el reto.

Cuanto más fuertes son las contracciones con más rapidez se

dilata el cérvix, y el incremento del dolor suele confirmar que el parto va bien. Si te relajas y te adaptas a las sensaciones en vez de luchar contra ellas tu cuerpo liberará endorfinas y encefalinas, sustancias químicas cerebrales que actúan como narcóticos naturales y alivian el dolor.

Sin embargo nadie quiere que el dolor sea insoportable, o sentirse impotente porque le supera la situación. Aunque quieras parir de un modo natural y tengas estrategias para controlar el dolor, puedes necesitar la garantía de que hay calmantes a tu disposición tanto como las mujeres que deciden no experimentar ningún dolor.

El miedo a perder el control por la intensidad de las contracciones puede hacer que el dolor sea menos soportable y, por lo tanto, saber que no tienes que sufrir más dolor del que estás preparada para tolerar puede eliminar ese miedo. No es necesario que seas una esclava del dolor. Puedes aprender estrategias para controlarlo (véase el capítulo 6) o utilizar medicamentos (véanse «Guías Rápidas», pp. 91-92).

Las mujeres que tienen a su bebé en casa toman menos calmantes que las que paren en el hospital. Esto se puede deber a que están más relajadas, reciben más apoyo o confían más en su capacidad para dar a luz. Sea cual sea la razón, esto indica que hay otros factores aparte del parto en sí que influyen en el nivel de dolor que experimenta una mujer.

En los años cuarenta, Grantly Dick-Read, el gran pionero del movimiento del parto natural, reconoció que hay un elemento psicológico que influye en cómo se sienten los dolores de parto. Sugirió que el miedo provocaba tensión, que a su vez producía dolor, y que romper este círculo permitiría a las mujeres tener partos sin dolor.

Treinta años después, Ronald Melzack, experto en los mecanismos del dolor, planteó la teoría de un mecanismo neuronal en la médula espinal que controla el flujo de los mensajes de dolor al cerebro. Cuando esta «puerta» se cierra se bloquea la información; cuando se abre se transmite información hasta que los mensajes fluyen con libertad. La posición de la puerta depende de la actividad de las fibras nerviosas y de los impulsos nerviosos del cerebro.

Las técnicas cotidianas para aliviar el dolor, como acurrucarse con una bolsa de agua caliente para los dolores de la regla, aplicar una compresa fría a un tobillo torcido o masajearse las sienes para un dolor de cabeza, funcionan estimulando las fibras nerviosas y cerrando la puerta para que lleguen menos mensajes de dolor al cerebro. Cambiando el estímulo en cuanto se filtra el dolor se mantiene la puerta cerrada; si aumenta la ansiedad se abre la puerta y se incrementa el nivel de dolor que sientes.

Piensa en tu actitud hacia el dolor cuando decidas qué tipo de parto quieres, dónde va a nacer tu bebé y quién te apoyará. Tomar calmantes porque crees que el parto es tan angustioso que no vas a poder soportarlo no es lo mismo que aceptarlos agradecida si tu parto resulta ser muy doloroso.

Creencias sobre el parto

Examinar las creencias sobre el parto puede ayudar a abrir las puertas de la prisión del miedo. Lo que crees influye en cómo te sientes y actúas. La gente construye sus creencias sobre el parto basándose en lo que ve, lee y oye además de en sus propias experiencias, pero todo el mundo acepta algunas cosas y rechaza otras.

Las creencias se sostienen como las ramas de un rosal, pero no todas se ajustan a la realidad ni se deben tomar en serio. Algunas son falsas y se pueden cortar como la rama seca de un rosal sin estropear toda la planta.

Cada vez que oyes hablar de un parto complicado (las mujeres intentan superarse a la hora de describir lo terrible que fue su parto) o alguien que ha tenido un parto normal dice que tuvo suerte, se puede reforzar la creencia de que el parto es difícil y arriesgado. Es cierto que un parto puede ser doloroso, pero la creencia de que el dolor es siempre intolerable o de que tener un parto fácil es cuestión de suerte no se ajusta a la realidad.

En las culturas en las que las dificultades son un hecho de la vida diaria, a las mujeres no les gusta el dolor pero lo aceptan como una parte natural del proceso de dar a luz. Sin embargo, en los países desarrollados se busca un remedio para todos los problemas y el dolor se considera algo que hay que evitar. La experiencia del dolor puede ser la misma, pero su percepción y lo que se hace al respecto es diferente.

Las creencias están compuestas de ideas que provocan sentimientos, que a su vez generan más ideas, pero sólo son palabras en tu cabeza. Si cambias una idea cambiarás el sentimiento; si piensas de un modo diferente se abrirán nuevas posibilidades. Los consejos de los médicos y las comadronas son valiosos porque han adquirido experiencia, pero la creencia de que debes hacer todo lo que diga el médico o de que la comadrona siempre sabe qué es lo mejor para ti es errónea. Ese tipo de ideas pueden impedir que consideres tus preferencias o esperes conseguirlas.

Librarse de las formas habituales de pensar puede resultar difícil aunque no se ajusten a la realidad, pero si persistes se pueden cambiar. Como un bebé que aprende a dormir toda la noche, puede que tu mente se resista cuando cuestiones cosas que has aceptado hasta ahora. Puede que te siga planteando ideas negativas como «Eso no lo crees realmente, sólo estás fingiendo». Puede que tengas que insistir en ello, pero cuando aceptes que las ideas se pueden cambiar comenzará a suceder.

Cuando te libres de una creencia que ya no te resulte útil tendrás que reemplazarla por algo mejor. Parte del reto consiste en construir creencias más realistas sobre el parto. Para la mayoría de las mujeres el parto no es ni maravilloso ni terrible, sino algo intermedio con buenos y malos momentos.

Tu cuerpo puede afrontar los retos de un parto normal, pero si tu bebé está en una posición muy difícil es posible que agradezcas una epidural, y si tu presión sanguínea aumenta de repente puedes necesitar la ayuda de la tecnología. Hay situaciones que no se pueden controlar, y algunos temores que se deben aceptar.

Fantasmas del pasado

Todo lo que aprendiste en la infancia puede seguir rondando en tu cabeza y condicionar tu libertad para ser tú misma. Piensa en tu infancia y en cómo te trataban tus padres o profesores. A las niñas se les suele enseñar a ser buenas, a complacer a los demás, y eso es lo que hacen en la vida.

Las pautas de comportamiento de la infancia pueden influir en el modo en que actúas actualmente, impidiéndote responder de una forma adulta cuando te sientes amenazada. Si te querían mucho puede que hayas intentado merecer esa devoción, poniendo tus verdaderos sentimientos en un segundo plano. Si te criticaban constantemente es posible que hayas aprendido a conformarte, o a ser rebelde. El miedo puede generar conformidad y la ira puede fomentar la rebelión; pero ninguna de estas emociones te ayudará a tener el parto que quieres.

Nadie quiere estar rodeado de gente que le critica todo el tiempo, pero las mujeres a las que les resulta difícil aceptarse como son hacen esto a veces consigo mismas.

Algunas mujeres reprimen sus verdaderos sentimientos cuando les importa mucho algo por miedo a que una negativa les haga perder el control. No se permiten el lujo de enfadarse por miedo a decir cosas que no se pueden retirar o a molestar a la gente de la que tendrán que depender. Expresar la ira puede ser una válvula de seguridad, pero también puede comunicar cómo te sientes realmente.

Cuando tomas una decisión como persona adulta aceptas las consecuencias. Si quieres un parto natural pero decides tener a tu bebé en la planta de maternidad del hospital donde es posible que acabes con máquinas o una epidural, o temes no ser capaz de soportar el parto y pides una cesárea, tienes derecho a hacerlo. Has evitado tus temores en vez de afrontarlos, y es posible que no te sientas muy bien; pero no tiene sentido culpar a otras personas por influir en tu decisión, o a ti misma por no tener un parto natural. Fueran cuales fueran tus razones, las prioridades eran diferentes.

Una forma de averiguar si estás preparada para hacer lo que sea necesario para conseguir el parto que quieres es intentar convencer a tu pareja o a una amiga escéptica de que piensas lo contrario. Los argumentos que plantees pueden reflejar cómo te sientes realmente, no cómo crees que deberías sentirte.

Lo que sientas respecto al parto no es ni bueno ni malo, así que procura ser coherente con lo que pienses. Bailar al ritmo de otros puede llevarte al fracaso. ¿Deberías tener un tipo de parto concreto porque lo haya hecho todo el mundo en tu familia o porque otros piensen que es lo mejor? El reto consiste en establecer objetivos realistas y hacer algo al respecto; pero también en que seas honesta contigo misma. Algunas mujeres creen que están preparadas para afrontar la situación cuando en realidad quieren que otra persona asuma la responsabilidad. No puedes cambiar a los demás, sólo a ti misma.

Piensa en lo que «podrías» hacer, no en lo que «deberías» hacer, porque así tendrás éxito decidas lo que decidas. Si dices «Podría tener un parto natural si quisiera», puedes hacer lo que sea necesario para conseguirlo, o aceptar que es una buena idea pero que no es realmente lo que quieres.

Incluso cuando sepas lo que quieres puedes seguir teniendo dudas mientras los fantasmas de tu mente intentan minar tu confianza: «Puede haber una complicación inesperada... el parto puede ser muy largo y doloroso... no podré... haré el ridículo...».

Te sentirás más capaz si eres realista, puedes confiar en tus cuidadores y puedes expresar cómo te sientes. Puede que no sepas quién te cuidará o qué ocurrirá en determinadas circunstancias, y tengas que confiar en que todo vaya bien. Sin embargo, puedes llegar a un acuerdo sin perder la dignidad: en las decisiones adultas hay que hacer a menudo concesiones.

Ya es bastante difícil lidiar con tus propios fantasmas para soportar también los del resto del mundo. Siempre es recomendable escuchar los consejos, pero no es necesario que asumas los miedos de los demás.

El bagaje de otras personas

Los familiares, los amigos y los profesionales de la salud se forman su opinión sobre el parto basándose en distintas fuentes y en su experiencia personal. Sus propios fantasmas pueden hacer que insistan en que su opinión es la correcta e impedir que escuchen lo que tengas que decir.

A veces la gente con poca experiencia personal en partos saca sus ideas de la televisión, donde lo normal es que haya incidentes. Los dramas y las comedias se centran en lo que va mal y en cómo se resuelve. La tecnología del parto puede resultar muy dramática, así que las situaciones son invariablemente teatrales. Pero las escenas escritas por gente sin experiencia en partos suelen ser irreales, anticuadas o engañosas. Por ejemplo, es raro ver a una mujer dando a luz en otra postura que no sea tumbada.

A tu pareja le pueden preocupar tus ideas o negarse a cuestionar los consejos de un profesional porque se siente responsable de tu bienestar y el de tu bebé. Los parientes más mayores, cuyos hijos nacieron en una época en la que las mujeres hacían lo que les decían porque no tenían otra opción, pueden pensar que el parto natural es lo mejor porque a ellos les fue bien y estar horrorizados de que hayas elegido una epidural o una cesárea; o estar convencidos de que los médicos saben lo que hay que hacer y de que es más seguro seguir sus consejos sin ponerlos en duda.

Sin embargo, para los médicos un parto suele ser un problema que hay que resolver, no un proceso natural y, por lo tanto, su opinión puede estar distorsionada. Su experiencia les dice que un parto es arriesgado, y su formación les enseña a hacerse cargo de la situación y, en consecuencia, les cuesta comprender que no se acepte su opinión.

Podrías preguntarte si las tocólogas optan por las cesáreas para dar a luz porque saben algo que tú no sabes, hasta que te das cuenta de que sólo ven partos complicados y tienen poca experiencia en el proceso normal. Para ellas una cesárea es un procedimiento familiar, que elimina en gran medida la incertidumbre. Es comprensible que esta operación les resulte atractiva. Como la mayoría de los partos vaginales, la mayor parte de las cesáreas son sencillas, así que un médico no tiene nada que perder al recomendárselas a sus pacientes.

Las comadronas no suelen recurrir a las cesáreas para sus partos porque ven muchos partos normales. Sin embargo, las que trabajan en centros de alta tecnología pueden aconsejar una epidural a una mujer porque no tienen tiempo ni capacidad para apoyarla en una fase difícil del parto. Su consejo puede estar más relacionado con la carga de trabajo, su tolerancia para ver sufrir a las mujeres y la tecnología a la que están acostumbradas que con las necesidades de la mujer.

Es fácil que te influyan los profesionales de la salud a los que ves como «expertos»; pero sus opiniones dependen en muchos casos de su experiencia personal. Tu médico o comadrona pueden basarse en su propia experiencia o en sus capacidades; un colega puede tener una opinión diferente que tampoco coincida con la tuya sin estar equivocado.

Hoy en día muchas mujeres tienen un parto vaginal tras una o más cesáreas, así que un médico que afirma «una cesárea una vez, una cesárea siempre» está desfasado. Parir en casa es tan seguro para la mayoría de las madres como tener a su bebé en el hospital, así que una comadrona que insinúa que parir en casa es una decisión irresponsable porque podría haber una emergencia te está cargando con sus propias ansiedades.

Escucha los consejos, pero valóralos teniendo en cuenta el panorama completo, incluyendo lo que sabes de ti misma y cómo te sientes. Hacer lo que te dicen sin pensarlo puede dar una falsa sensación de seguridad. Si algo va mal puedes tener la satisfacción de culpar a otras personas, pero tendrás que vivir con las consecuencias. Parte de la autoaceptación consiste en deshacerse de las opiniones de los demás.

Afrontando tu miedo

Si un tigre se dirige hacia ti la mejor solución puede ser esconderse, no hacerle frente; pero si tu miedo es menos racional que el que sientes al ver cuatro patas rayadas y unos dientes enormes buscando comida, escondiéndote no te salvarás.

No es dar a luz a lo que tienes que hacer frente, sino a ti misma. Aunque algo en tu cabeza haga que te dé miedo lo que pueda ocurrir, no hay ninguna regla que diga que porque antes te diera miedo algo te va a dar miedo siempre, ni que esta vez vaya a ocurrir lo mismo. Es más fácil si te ayudaron de pequeña. Los bebés aprenden a tener miedo a medida que crecen; si les protegen de lo que les asusta o les ponen en ridículo por ser tímidos nunca aprenden a afrontar el miedo y a superarlo.

Si tu primer parto fue difícil puede que te sientas incapaz de soportar otro; pero si haces frente al miedo en vez de evitarlo quizá te des cuenta de que lo que ocurrió estaba relacionado con expectativas poco realistas, una mala atención o con algo que no es probable que vuelva a suceder. Este tipo de factores se pueden discutir y evitar con planes de contingencia. El apoyo y la información adecuada pueden ayudarte a afrontar tu segundo parto sintiendo que las cicatrices del primero se han curado; pero si tienes miedo puedes encontrar infinidad de razones para no hacerlo.

Puedes decirte a ti misma que no van a estar de acuerdo con lo que quieres y que, por lo tanto, no tiene sentido pedirlo. Puedes permanecer callada para no molestar a una comadrona o para que no te consideren una pesada. Puedes dejar el asunto para la semana siguiente, o para cuando surja el momento más oportuno para mencionarlo. Puedes excusar a otras personas; no es culpa de la comadrona, estaba demasiado ocupada. Incluso tu cuerpo puede colaborar contigo con un catarro o un dolor de garganta en el momento crucial.

Sin embargo, posponer algo puede impedirte llegar donde quieres; esperas que el problema se resuelva solo y conseguir lo que quieres sin hacer ningún esfuerzo. Pero si el miedo te detiene esto no ocurrirá.

Si te enfadas contigo misma por utilizar tácticas evasivas, imagina cómo tratarías a un niño pequeño al que le dan miedo los monstruos que se esconden detrás de las cortinas. ¿Le dirías que es tonto y le dejarías solo en la oscuridad, o le demostrarías que no hay nada y le ayudarías a vencer su miedo? Cuando aplazas algo por miedo eres como un niño de cuatro años que necesita apoyo para adquirir confianza.

La confianza se debe construir sobre bases sólidas, y esto significa conseguir la información necesaria que te permita compartir decisiones. Los miedos irracionales disminuyen cuando estás bien informada y eres realista. Cuando veas que el trabajo de tu comadrona consiste en ayudarte a dar a luz, no en controlar tu parto, puede que te sientas capaz de deshacerte de la dependencia infantil y compartir la responsabilidad.

La gente que te apoya puede ayudarte a mantener el control. Su presencia puede darte ánimos para acceder a tu valor. Su cariño y su preocupación por ti pueden hacer que el dolor sea más fácil de soportar; su apoyo puede ayudarte a confiar en tu cuerpo y en tu intuición. Pueden ayudarte a utilizar lo mejor posible tus recursos. Lo que no pueden hacer es quitarte la ansiedad, hacer que el dolor se evapore o darte valor para continuar cuando te quedes sin fuerzas.

Cuando afrontas con éxito algo que temías, el miedo disminuye y aumenta tu fuerza interior. Hacer frente al miedo ayuda a verlo con perspectiva, aunque no lo elimine.

Las expectativas y los sentimientos positivos suelen generar resultados positivos, y la mayoría de las mujeres deben insistir en lo que creen. Puede que tengas que convencer a tu pareja o a tu familia de que lo que quieres es razonable. Los médicos y las comadronas pueden tener una actitud negativa al principio, pero la gente que se quiere y se respeta a sí misma tiende a respetar a los demás y normalmente ayuda cuando ve que hablas en serio.

Cambio de creencias

No pasa nada porque te dejes llevar por tus creencias para hacer algo siempre que estés contenta con cómo vayan las cosas. Si no es así suelta las cuerdas y toma tus propias decisiones. Si crees que algo que te daba miedo no tiene tanto riesgo después de todo, cambia tu vieja creencia y perderá su poder para asustarte.

El primer paso para tener una experiencia del parto que puedas recordar con satisfacción es ser consciente de las ideas erróneas o negativas que interfieren en tu camino antes de cambiarlas. Habla con gente que tenga opiniones diferentes y busca información (véase «Páginas web», p. 253) para ver si merece la pena mantener una creencia.

Escribe una creencia que pienses que puede limitarte e identifica las ideas que la refuerzan. Luego cambia la creencia y escribe tus nuevas ideas. He aquí algunos ejemplos:

Vieja creencia: los médicos y las comadronas siempre saben qué es lo mejor.
Viejas ideas: son los expertos; ven a mujeres que dan a luz todos los días; es mi primer bebé, no sé lo suficiente de esto; debería hacer lo que me dicen; tomarán las decisiones adecuadas.
Nueva creencia: estoy sana y mi cuerpo sabe qué hacer.
Nuevas ideas: puedo dar a luz, mi cuerpo sabe cómo; la gente me ayudará; no soy una testaruda, seguiré sus consejos si hay alguna complicación; me informaré bien para compartir decisiones.

Vieja creencia: el dolor del parto es insoportable.
Viejas ideas: no puedo resistir el dolor; no soy valiente; tengo un umbral del dolor muy bajo; necesitaré calmantes; ¿y si no me pueden dar una epidural si la necesito?
Nueva creencia: un parto normal produce un dolor normal, que no es insoportable.
Nuevas ideas: mi umbral del dolor depende de lo relajada y segura que me sienta; un buen apoyo puede aumentar mi umbral del dolor; puedo aprender a controlar el dolor; tomaré calmantes si los necesito, pero puede que no los necesite.

Vieja creencia: cuanto más corto sea el parto mejor.
Viejas ideas: si el parto es muy largo es porque algo va mal; no podré soportarlo; me cansaré mucho; debería dilatarme un centímetro cada hora.
Nueva creencia: las mujeres no son máquinas, algunas están dos días con contracciones suaves y regulares para dilatar tres o cuatro centímetros, luego las contracciones se aceleran y el bebé nace en un par de horas.
Nuevas ideas: un parto largo puede ser más suave; mi bebé necesita colocarse en la mejor posición para nacer; no me da miedo tener un parto largo, puedo pasear mientras espero; el parto durará el tiempo adecuado para mi bebé y para mí.

Vieja creencia: las mujeres que tienen buenos partos tienen suerte.
Viejas ideas: no tengo mucha suerte en la vida; no soy lo bastante buena o inteligente; no sé cómo ayudarme a mí misma; de todas formas se ocuparán ellos.
Nueva creencia: un buen parto tiene poco que ver con la suerte.
Nuevas ideas: puedo encontrar a la gente adecuada para ayudarme; puedo utilizar mi experiencia para que este parto sea diferente; puedo crear mi propia «suerte».

Con más miedo que la mayoría

Si vas en contra de las opiniones de otras personas, surge un problema en el embarazo o has tenido previamente un parto difícil o un bebé muy prematuro, puedes sentirte tan estresada que es posible que pierdas tu sentido de la orientación. Puedes aferrarte a tus creencias, tus sentimientos de culpa o tu miedo a las críticas, pero la preocupación aumentará si no haces algo al respecto. Para empezar deja descansar a tus fantasmas.

A veces puede parecer que un problema empeora antes de mejorar, así que necesitarás apoyo (véase «Cómo buscar gente que pueda ayudarte», p. 138). Intenta hablar de tu situación con gente que esté tanto de acuerdo como en desacuerdo contigo.

Puedes conseguir el parto que querías en un principio, pero también es posible que cambies de opinión y llegues a las mismas conclusiones que tus consejeros iniciales por una vía diferente. Si te sientes capaz podrás tener una actitud más positiva hacia la experiencia. El resultado final es menos importante que la sensación de mantener el control.

Un parto previo traumático

Que tu parto anterior fuera traumático no significa que éste vaya a serlo. El pasado no se puede cambiar, y sólo te harás daño a ti misma aferrándote a la culpa o la ira. Libérate de las ideas negativas para que puedan surgir otras nuevas y puedas utilizar lo que has aprendido para que este parto sea diferente.

¿Sigues resentida con alguien? Busca un lugar tranquilo en el que puedas estar sola y visualiza a esa persona en tu mente. Piensa por qué actuó como lo hizo: ¿le daba miedo que otros le echaran la culpa, o estaba condicionada por sus propios fantasmas? Intenta comprenderlo y olvídate de ello.

Si tus sentimientos sobre el parto son más generales, imagina que estás sujetando un globo grande lleno de helio. Dibuja en él una cara para representar la tristeza, el miedo, la ira o lo que mejor describa cómo te sientes. Busca las palabras que expresen esa emoción lo mejor posible y escríbelas en el globo. Luego, cuando estés preparada, suelta el globo y observa cómo desaparece llevándose esos sentimientos.

Un parto vaginal tras una cesárea

Si tienes otro bebé tras un parto con cesárea, más que tener riesgos físicos te sentirás vulnerable emocionalmente. Estuviera la operación planificada o no, inconscientemente puedes sentir que tu cuerpo te falló o que no está capacitado para dar a luz.

La moral es importante en cualquier situación en la que las emociones salen a la superficie, y el sentimiento de que puedes afrontar el parto es más poderoso que la creencia de que es mejor un parto natural.

Si quieres tener un parto normal, pero te sientes tentada a recurrir a otra cesárea porque tienes miedo, intenta imaginarte dando a luz normalmente, rodeada de gente dispuesta a apoyarte. Habla con gente que crea que puedes hacerlo, no con la que mine tu confianza.

Céntrate en lo que quieres, no en evitar lo que no quieres, porque de ese modo se suele reforzar. En vez de decirte a ti misma «No quiero otro parto con cesárea», di cosas como «Puedo tener un parto normal, mi cuerpo sabrá qué hacer».

Un bebé de nalgas o gemelos

Los gemelos y los bebés de nalgas también nacen en casa y en piscinas para partos, así que no siempre es necesario que nazcan con una cesárea o con alta tecnología. Si tu médico sugiere esto de forma automática cuando tú prefieres un parto vaginal sin tecnología, busca otro médico que considere todas las opciones o piensa en contratar a una comadrona independiente con la experiencia necesaria (véase «Cómo buscar gente que pueda ayudarte», p. 138).

Algunos partos de gemelos y bebés de nalgas conllevan más riesgos, pero suele depender de factores como la experiencia del médico o la comadrona y la posición del bebé o los bebés, y no es lo mismo en cada caso. Si un médico o una comadrona acostumbrados a atender este tipo de partos de forma natural confirman que en tu caso un parto vaginal sin aparatos tecnológicos sería arriesgado, el consejo hará que te sientas capaz de aceptar la ayuda de la tecnología o de optar por una cesárea sin tanto miedo.

Discapacidades

Los médicos y las comadronas con poca experiencia en mujeres embarazadas con una discapacidad concreta sobrestiman a veces los riesgos y limitan la capacidad de decisión más de lo necesario. La discapacidad puede nublar el criterio de la gente, que a veces cree que debe decidir por ti.

Si quieres parir en casa porque tu vivienda está adaptada a tu problema de movilidad, o estás acostumbrada a controlar tu medicación, por ejemplo, tu familia puede decir que estás loca o que estás pensando en ti y no en tu bebé. Y los médicos pueden decir que es imposible proporcionarte la atención necesaria en casa.

Analiza sus puntos de vista y si es factible lo que quieres en vez de aceptar la palabra de una persona. No tienes que creer automáticamente a alguien que dice que estás siendo irresponsable o que es imposible atenderte como prefieres. Una asociación que asesore a padres discapacitados, como DPPI (Disability, Pregnancy & Parenthood International; véase página web, p. 254), o un grupo de autoayuda para tu discapacidad pueden ayudarte a contactar con médicos especializados o con otras madres.

En resumen

- La seguridad es importante, pero nunca está garantizada. Cómo te sientas respecto a un riesgo puede estar totalmente desproporcionado con el peligro real.
- Puedes crear tu propia suerte analizando una situación, tomando decisiones sensatas y aprendiendo de los resultados.
- Reconoce el poder de tus creencias y las de otras personas. Puede que tengas que cambiar de opinión respecto a tus ideas sobre el parto.
- Intenta ser coherente con tu forma de pensar, pero sé realista. No tiene sentido pedir la luna.
- Para tomar buenas decisiones suele ser necesario llegar a acuerdos. Aunque haya que aceptar y afrontar algunos temores, asumir la responsabilidad da un gran poder.

GUÍA RÁPIDA: AUTOAYUDA PARA EL DOLOR

Con los métodos de autoayuda se puede controlar el dolor suave o moderado y el dolor intenso durante un breve periodo de tiempo. No tienen efectos secundarios y puedes dejar de usarlos en cualquier momento. Pasa de una técnica a otra y utilízalas por separado o combinadas. Para más información véase capítulo 6.

- **Posiciones:** mantente derecha, cambiando de posición de vez en cuando; siéntate o arrodíllate con las piernas separadas, inclinándote hacia delante; apóyate en los brazos extendidos, un cojín grande o tu pareja; túmbate de costado.
- **Masajes:** masajéate con suavidad la parte inferior del vientre para aliviar el dolor; si te duele la espalda pide a tu pareja que presione con firmeza la base de tu columna vertebral.
- **Movimiento:** pasea apoyándote en los muebles o en tu pareja durante las contracciones; mece tu cuerpo rápidamente cuando estés sentada o tumbada; balancéate despacio y rítmicamente o gira la pelvis cuando estés de pie o de rodillas.
- **Relajación:** sopla suavemente con cada contracción. Concéntrate en relajar la tensión de los hombros, las manos y la mandíbula.
- **Visualización:** imagina un lugar en el que te sientas a gusto y mantén tu atención centrada en esa imagen, esperando pasivamente hasta que se pase la contracción.
- **Temperatura:** date un baño caliente o ponte una bolsa de agua caliente envuelta en una toalla; aplícate una compresa fría en la espalda; si estás en una piscina para partos pide a tu pareja que te eche un poco de agua fría por el abdomen o la espalda.
- **Respiración:** respira lentamente poniendo más énfasis al expulsar el aire que al inspirar. Haz una pequeña pausa después de cada expulsión para mantener la respiración lenta.

GUÍA RÁPIDA: OTROS MÉTODOS PARA ALIVIAR EL DOLOR

Si los métodos de autoayuda no proporcionan suficiente alivio, la estimulación transcutánea y el entonox pueden ayudarte a reducir el dolor moderado o intenso durante un breve periodo de tiempo. La petidina y la epidural ayudan a controlar el dolor intenso, pero tienen algunos efectos secundarios.

- **Estimulación eléctrica transcutánea:** se transmite un impulso eléctrico a través de cuatro electrodos pegados a la espalda que produce una sensación de hormigueo. A frecuencias bajas libera endorfinas, mientras que a frecuencias altas bloquea los mensajes de dolor al cerebro. Puedes pedir una máquina a tu comadrona o alquilarla (busca anuncios en revistas de embarazo).
- **Entonox (gas y aire):** mezcla de óxido nitroso y oxígeno que se inhala a través de una mascarilla. Produce una ligera sensación de mareo, como el exceso de alcohol con el estómago vacío. Atraviesa la placenta pero se cree que tiene un efecto mínimo para el bebé. Comienza a inhalar al comienzo de cada contracción, y déjalo si no te gusta la sensación.
- **Petidina:** es un relajante muscular que se administra mediante inyecciones. Las mujeres dicen que las distancia del dolor en vez de eliminarlo. Si se administra muy cerca del parto el bebé puede estar somnoliento e insensible y tener más problemas para tomar pecho durante unos días. Se puede dar un antídoto, pero entonces el hígado inmaduro del bebé tiene que metabolizar dos medicamentos. Según los resultados de un estudio realizado en 1990, los hijos de las mujeres que tomaron petidina y entonox durante más de una hora durante el parto tenían más posibilidades de ser adictos a los opiáceos como adultos.
- **Epidural:** se introduce anestesia local en el espacio que rodea la médula espinal, cerca de los nervios que transmiten los mensajes de dolor. Una combinación de medicamentos puede reducir los efectos secundarios y dejar alguna sensa-

ción en las piernas, pero puedes perder bastante movilidad. En el mejor de los casos puede eliminar por completo el dolor y reducir la presión sanguínea (lo cual resulta útil si es alta).

Es posible que necesites un catéter para limpiar la vejiga y un goteo para acelerar las contracciones. Esto eleva la temperatura, lo cual puede afectar al bebé (hay más bebés que necesitan cuidados especiales), y tienes el triple de posibilidades de necesitar un parto asistido y el doble de que tengan que realizarte una cesárea de emergencia. Algunas mujeres se quejan de dolores de cabeza o de dolor de espalda a largo plazo.

Capítulo 4

Opciones de parto

El parto es una experiencia tanto física como emocional que se puede enfocar de diferentes maneras y puede tener lugar en distintos entornos. Algunas mujeres quieren que su bebé nazca en la privacidad de su propia casa mientras otras se sienten más seguras en un hospital; algunas creen que debería haber la mínima intervención posible mientras otras consideran que si la tecnología puede eliminar el dolor y hacer que el parto sea más previsible lo lógico es confiar en ella. No hay un único enfoque o lugar adecuado para todo el mundo.

Sólo se da a luz unas cuantas veces en la vida, así que cada experiencia debería ser especial. Es posible que prefieras un enfoque natural, un parto activo o un parto en el agua, o que te sientas más segura con un monitor fetal y una epidural. Puede que quieras que tu parto se controle de una forma activa o que tu bebé nazca con una cesárea.

No hay una manera «adecuada» de tener un bebé. Cada enfoque tiene ventajas e inconvenientes, y tu decisión dependerá de cómo sopeses los pros y los contras. Si te sientes cómoda y confiada a la hora de decidir dónde y cómo nacerá tu bebé, es mucho más probable que la experiencia sea satisfactoria.

A lo largo de la historia se ha reivindicado el carácter místico del parto natural. En el mejor de los casos puede ser una experiencia asombrosa, pero también puede ser muy dura. La tecnología moderna puede hacer que el parto sea más fácil y seguro, pero también puede hacer pensar a los profesionales de la salud que tienen el control y crear algunos problemas graves. No es la solución a todos los problemas.

El mejor parto es el más adecuado para ti, sea como sea. No se trata de elegir entre lo bueno y lo malo, sino de respetar tus propias necesidades y combinar la seguridad con lo que consideras mejor para ti como persona.

Al pensar en el parto también debes tener en cuenta dónde tendrás a tu bebé. La mayoría de las mujeres van al hospital, aunque puede no ser la mejor opción si esperas tener un parto natural.

¿Dónde nacerá tu bebé?

Parto en casa

Esta opción es posible para todas las mujeres sea cual sea su edad y su historial médico aunque sea su primer hijo. La comadrona lleva todo lo que se utiliza para un parto normal en el hospital, incluido el equipo de resucitación para el bebé. Puedes conseguir una receta de petidina si crees que puedes necesitarla, pero la mayoría de las mujeres se arreglan con entonox, estimulaciones transcutáneas, agua o métodos de autoayuda para aliviar el dolor (véase «Guía rápida», pp. 91-92).

Cuando se establece el parto la comadrona se queda contigo. Tú haces lo que te pueda ayudar a afrontar mejor el parto: continúas con tus tareas cotidianas, vas a dar un paseo, tomas un baño o te concentras en las contracciones cuando es necesario. La comadrona llama a una colega de refuerzo cuando estás preparada para dar a luz y se marcha cuando nace el bebé. Puedes ponerte en contacto con ella en cualquier momento, y te visitará con frecuencia durante unos días después del parto.

Centros maternales

Pueden ser un edificio separado o una sala de un hospital, en muchos casos con una piscina para partos. Están dirigidos por comadronas, ofrecen un enfoque similar al parto en casa y disponen de los mismos medios médicos. Sin embargo, si surge un problema o necesitas una epidural tendrán que trasladarte al hospital.

En los centros maternales suele haber un ambiente amistoso y familiar y un trato personal. Cualquiera puede dar a luz en un centro de este tipo sea cual sea su edad o su historial médico; también puedes trasladarte a uno de ellos después de dar a luz en el hospital si prefieres estar en un entorno más relajado.

Hospitales

La mayoría de las mujeres dan a luz en el hospital porque no saben que tienen otras opciones o porque se sienten más tranquilas sabiendo que hay más medios disponibles en caso de que sean necesarios. Lo más probable es que tengas una habitación individual para el parto y que luego te trasladen a una sala de cuatro o seis camas en la que estarás entre seis horas y dos días. Algunas mujeres se sienten como si hubiesen vuelto a la escuela, mientras que otras disfrutan con la compañía de otras madres. Cuando vuelvas a casa la comadrona irá a visitarte, y si necesitas ayuda puedes llamar por teléfono en cualquier momento.

Los hospitales varían mucho en cuanto a planteamientos, medios, intervenciones e índice de infecciones. Si quieres un parto natural, un parto controlado de una forma activa o una epidural elige un hospital que ofrezca estas opciones.

El problema de la seguridad

En teoría un hospital es el lugar más seguro para tener un bebé porque dispone de todos los medios necesarios para afrontar cualquier emergencia. Sin embargo, en la práctica se ha comprobado que para una madre sana que tiene un bebé a término (con un embarazo de treinta y ocho a cuarenta y dos semanas) es igual de seguro dar a luz en casa.

Esto puede parecer sorprendente hasta que se considera que una mujer en su propia casa está más relajada y por lo tanto hay más posibilidades de que el proceso del parto se desarrolle con normalidad. Puede moverse como quiera, haciendo que el dolor sea más fácil de controlar que si estuviera tumbada en la cama conectada a una máquina.

No suele haber complicaciones sin previo aviso, y si la comadrona detecta algún síntoma que pueda hacer necesaria una intervención hay tiempo suficiente para trasladar a la madre al hospital. Sólo un tres por ciento de los bebés nace con problemas imprevistos, la mayoría de los cuales se pueden resolver en casa. El dos por ciento necesita cuidados intensivos, pero en la mayoría de los casos se sabe con antelación y por lo tanto ya estarás en el hospital.

Aunque es raro que haya una crisis repentina durante el parto, se tarda más en conseguir ayuda si una mujer está en casa. Esto debería hacer que los hospitales fueran más seguros, pero parece estar contrarrestado por cómo están organizados. A veces en los hospitales hay crisis porque una comadrona, que normalmente tiene que atender a más de una mujer, no detecta los primeros síntomas de un problema, o porque un médico sin experiencia interviene inadecuadamente.

La tecnología puede ser engañosa: los aparatos pueden funcionar mal, los datos pueden ser difíciles de interpretar. El personal que depende de la tecnología es cada vez menos consciente de sus inconvenientes, y las prácticas inseguras se pueden pasar por alto porque cuando provocan una crisis el equipo está ahí para remediarla.

En casa, una comadrona no tiene los medios necesarios para resolver una crisis por sí misma. Tiene que estar siempre atenta, valorar si todo es normal y trasladar a la mujer a tiempo si es necesario.

El enfoque natural

El parto natural es una experiencia intensa en la que las mujeres descubren su fuerza interior y encuentran el valor para asumir un nuevo e importante papel. Puede ser abrumador, pero las mujeres están capacitadas para dar a luz, y utilizar tus propios recursos puede darte la misma sensación de triunfo que obtiene la gente al correr una maratón o escalar una montaña.

Un parto natural comienza de forma espontánea y, siempre que todo sea normal, continúa a su propio ritmo sin intervención hasta que nace el bebé. La comadrona confía más en la experiencia, la atención y la destreza que en las exploraciones rutinarias, y puedes utilizar entonox, estimulaciones transcutáneas o métodos de autoayuda para aliviar el dolor (véase «Guía rápida», p. 90).

En teoría puedes tener un parto natural en cualquier parte, pero el delicado proceso del parto se puede alterar con facilidad. Puede ser difícil de conseguir en un hospital, donde hay falta de apoyo o procedimientos inflexibles que tienen más que ver con la institución que con la fisiología del parto. Incluso cuando hay una piscina para partos o una habitación personalizada se desaconseja a veces su uso porque «no ha habido tiempo de limpiar la habitación» o «no hay nadie disponible que pueda supervisar un parto en el agua».

Cuando la tecnología está a mano su uso se puede convertir en una rutina. El personal del hospital puede considerarla necesaria en cualquier momento y animarte a aceptar una intervención si tu parto se alarga. Los médicos pueden entusiasmarse con una máquina y olvidarse de la mujer conectada a ella, resolviendo su angustia con más intervenciones. Para una comadrona con mucho trabajo puede ser más rápido preparar una epidural que ofrecer consejos prácticos para controlar el dolor. Por cualquiera de estas razones, te puede resultar más fácil tener un parto natural en casa o en un centro maternal.

Parto activo

Si te mantienes activa en vez de estar quieta en la cama hay menos probabilidades de que necesites calmantes o una intervención. La mayoría de las mujeres que quieren un parto natural permanecen de pie y activas, sobre todo si están en casa.

No hace falta ningún medio especial; sólo tienes que adoptar posturas que funcionen con la gravedad y ayuden a tu pelvis a abrirse durante el parto mientras escuchas a tu cuerpo y respondes a sus señales. Las posturas que elijas pueden hacer que el dolor sea más fácil de controlar y pueden ayudar a tu bebé a nacer. Muchas mujeres están demasiado tensas para utilizar bien la flexibilidad de su cuerpo, y necesitan mejorarla y practicar varias posturas durante el embarazo para poder estar plenamente activas durante el parto.

Parto en el agua

El agua es reconfortante y relajante, y te ayuda a moverte con más libertad, lo cual hace que el parto sea más fácil y el dolor más soportable. Si te gusta nadar o relajarte en la bañera, el agua puede ayudarte a tener un parto natural. La mayoría de las mujeres pueden utilizarla al menos en las primeras fases del parto, y resulta especialmente útil si no puedes usar otros métodos para aliviar el dolor o tienes una cicatriz de una cesárea.

Una piscina para partos es más ancha y profunda que una bañera, y el agua se mantiene a la temperatura corporal. Proporciona privacidad y un espacio personal que nadie invade sin una invitación, y puedes usar entonox y métodos de autoayuda si necesitas una ayuda adicional para el dolor.

La mayoría de los problemas durante el parto se pueden prever, y si ocurre algo te pedirán que salgas de la piscina como medida de precaución. Es raro que haya una emergencia que no se pueda resolver desde fuera de la piscina, pero si ocurriese la comadrona entraría en ella para ayudarte. Algunas mujeres salen del agua para dar a luz, pero muchas deciden en el último momento quedarse donde están.

Ha habido partos en el agua en casas, hospitales, caravanas e incluso al aire libre. Muchos hospitales y centros maternales tienen una piscina para partos, y se pueden alquilar para utilizar en casa o en el hospital (véase «Cómo preparar un parto en el agua», p. 112). Sin embargo, en los hospitales puede haber normas sobre cuestiones como el uso de aceites esenciales y cuándo se puede estar en la piscina.

Parto con tecnología

En la mayoría de los hospitales se utiliza algún procedimiento tecnológico durante el parto, pero todas las pruebas indican que la tecnología no hace que un parto normal sea más fácil o seguro. Puede ofrecer ventajas cuando un parto es complicado, pero también puede crear problemas inesperados. Si asumes que sólo se usará si es esencial puedes sentirte decepcionada.

En muchos casos utilizar la tecnología es una opción más que una necesidad, y hasta qué punto se considera necesaria suele depender tanto del hospital o la comadrona como del desarrollo del parto.

Enfoque mixto o de baja tecnología

Muchas mujeres deciden comenzar el parto de un modo natural y ver cómo evolucionan. Puede que no tengas ninguna preferencia especial respecto al parto y te parezcan bien las decisiones que tomen por ti; o que no quieras parecer muy exigente o decidir cuestiones de las que crees que sabes poco.

Normalmente vas al hospital cuando rompes aguas o tienes contracciones fuertes y regulares. Allí te conectan un monitor fetal al abdomen durante veinte minutos para registrar los latidos de tu bebé. Luego paseas o te quedas en la cama, y una comadrona se asoma de vez en cuando para comprobar si tu bebé y tú estáis bien. Y cada cuatro horas te hacen una exploración interna para controlar tu desarrollo.

Si tardas en dilatar puede que te ofrezcan un goteo para acelerar el parto y que luego te monitoricen, porque algunos bebés sufren si las contracciones se aceleran de un modo artificial. El goteo y el monitor se mantienen hasta que nace el bebé. A algunas mujeres les resulta más fácil permanecer en la cama, aunque no es esencial.

Si eliges un enfoque mixto o de baja tecnología puede que no consigas lo que quieres de forma automática, así que quizá te interese pensar con antelación qué es importante para ti para decírselo al personal (véase «Planes de parto», p. 163). Algunas mujeres dicen que se dejaron llevar por una comadrona amable o que estaban demasiado abrumadas por la situación para discutir por nada.

Parto controlado activamente

La tecnología se puede utilizar para controlar el parto de principio a fin. El parto puede comenzar de forma espontánea o se puede inducir mientras tú estás en la cama con un monitor fetal para registrar los latidos de tu bebé. Se inyecta una epidural y te hacen exploraciones internas cada dos horas aproximadamente.

Se espera que tu cérvix se dilate a un ritmo de un centímetro por hora y, si es necesario, se pone un goteo hormonal para conseguirlo. De este modo se garantiza que el parto tendrá lugar en un plazo de doce horas, aunque para algunas mujeres esto significa someterse a una cesárea.

Cuando se pone en marcha el control activo no puedes cambiar de opinión, y normalmente una intervención conduce a otra. Acelerar el parto puede hacer que el bebé sufra, en cuyo caso es necesaria una cesárea. La monitorización fetal continua puede hacer que resulte más difícil soportar el dolor, y entonces se necesita una epidural, que hace que sea más probable una episiotomía o un parto con fórceps o ventosas.

Sin embargo, puedes aceptar estos inconvenientes si te reconforta saber que el parto no durará mucho tiempo, tu pareja no tendrá que verte sufrir y tu bebé estará monitorizado continuamente.

Se ha comprobado que utilizando de esta manera la tecnología se acorta un parto «normal» menos de una hora, pero puede reducir un parto que de otro modo habría sido excesivamente largo.

En los hospitales grandes y privados hay más posibilidades de que te ofrezcan un control activo del parto y una epidural si lo solicitas con antelación, porque esto exige un mayor nivel de cualificación del personal y la escasez de comadronas reduce su disponibilidad en algunas secciones. Los hospitales más pequeños no suelen tener personal ni este tipo de medios.

Parto con cesárea

Si tu bebé o tú sufrís una crisis durante el parto puede ser necesaria una cesárea de emergencia (imprevista). En la mayoría de los casos la palabra «emergencia» es una exageración: no suele haber una crisis grave y normalmente hay mucho tiempo para actuar con calma.

Si tu bebé es prematuro, delicado o puede tener dificultades para pasar por tu pelvis te pueden sugerir una cesárea electiva (planificada). Otras razones médicas para intervenir quirúrgicamente incluyen diabetes, trastornos cardiacos o renales, cirugía vaginal extensiva, problemas placentarios, fibromas, un herpes activo o un caso grave de preeclampsia relacionado con el embarazo.

Una cesárea electiva elimina la incertidumbre, y puede ser reconfortante saber que el parto no durará mucho tiempo. Sabes cuándo nacerá tu hijo y puedes planificar tus obligaciones domésticas y tus compromisos de trabajo con antelación; también es más seguro que la posibilidad de que sea necesaria una operación de emergencia. Tener una cesárea puede ser fácil y rápido si se compara con un parto muy largo y agotador, y por lo visto cada vez hay más mujeres que lo solicitan.

La mayoría de los partos con cesárea son sencillos, y si hay una razón de peso para la operación las ventajas superan a los inconvenientes. Sin embargo, un parto con cesárea no es una opción fácil; cuando no hay complicaciones un parto vaginal es más seguro y la recuperación es más rápida.

La Organización Mundial de la Salud afirma que no hay beneficios para las mujeres o los bebés cuando el índice de cesáreas supera el 15 por ciento en los países desarrollados. Los países escandinavos se mantienen en este nivel, aunque el índice medio en el Reino Unido es de un 20 por ciento y va en aumento. En países como Brasil y Estados Unidos es aún mayor.

Este tema es importante para las mujeres. Las cesáreas son más caras que los partos vaginales porque hacen falta más anestésicos, medicamentos y aparatos. Se necesitan más comadronas porque las mujeres permanecen más tiempo en el hospital y al principio no pueden cuidarse a sí mismas ni a sus bebés.

Sin embargo, aunque no sea esencial una cesárea electiva, es posible que te interese considerar todas las implicaciones. Si decides que es la mejor opción para ti te resultará más fácil convencer a los demás si lo has pensado bien y estás preparada para los posibles inconvenientes.

Elección de una cesárea

- Aunque el riesgo de muerte o de una complicación grave es pequeño, es cuatro veces mayor que en un parto vaginal; y hay treinta veces más posibilidades de que tengas una histerectomía de emergencia por una hemorragia incontrolable.
- Las mujeres dicen que tienen más dolores tras una cesárea, aproximadamente una de cada cinco sufre una infección y un 10 por ciento más de bebés necesitan atención especial.
- Después necesitarás más ayuda porque tienes que cuidar a tu bebé mientras te recuperas de la operación. Dar pecho y atender a otros niños puede ser más difícil. No podrás conducir durante unas seis semanas.
- Los estudios indican que las mujeres que han tenido un parto con cesárea tienen más depresiones posparto y problemas de salud a largo plazo. Alrededor de dos tercios de las mujeres tienen la sensación de que no se han recuperado del todo tres meses después de la operación.
- Las cicatrices en los tejidos del útero reducen la fertilidad. También aumentan el riesgo de embarazo extrauterino y otros problemas placentarios en embarazos posteriores.
- Los partos subsiguientes se consideran de «alto riesgo», y por lo tanto tendrás más intervenciones y te desaconsejarán que tengas un parto en casa o en el agua. Con un niño que cuidar y nuevo bebé hay más posibilidades de otra cesárea.

Pregunta a tu médico:

- ¿Por qué recomienda una cesárea y qué alternativas hay?
- ¿Por qué es probable que sea la mejor opción para este problema?
- ¿Hay un consenso general, o hay médicos con un punto de vista diferente?

Pregúntate a ti misma:

- ¿Merecen la pena los posibles inconvenientes de una cesárea?
- ¿Puedo afrontar con facilidad una recuperación más lenta? ¿Puedo pedir más ayuda?
- ¿Me preocupan las posibles consecuencias para futuros embarazos?

¿De quién es la decisión?

La necesidad de una cesárea es evidente en algunos casos, pero en muchos otros no hay un consenso claro. La edad, un tratamiento de infertilidad, una pequeña complicación en el embarazo o una experiencia negativa en el primer parto pueden ser razones suficientes para algunos médicos, pero no para otros.

Una persona famosa que tiene un parto con cesárea por razones sociales influye en la opinión de la sociedad tanto como la reina Victoria al apoyar el uso del cloroformo; y a medida que se extiende la operación se convierte en una opción aceptable. Otra de las razones que se aduce para el aumento del índice de cesáreas es que cada vez hay más mujeres que eligen este tipo de parto y que la sociedad respalda esta opción.

Los medios de comunicación suelen definir a las mujeres que eligen una cesárea como «demasiado finas para empujar». Además de ser una ironía, esto es injusto para las mujeres. Culpar del aumento de las cesáreas a la decisión de las mujeres es demasiado simplista.

Aunque una mujer puede decidir libremente, las cosas se suelen plantear de un modo que hacen que su «opción» sea inevitable. A muchas mujeres les da miedo tener un parto vaginal por un trauma que ellas o una persona cercana han experimentado. Si no les ofrecen medios que les ayuden a afrontar su miedo —una atención continua, un buen apoyo emocional y la garantía de que el parto no se alargará demasiado, por ejemplo—, una cesárea puede parecer la única opción.

Cómo se presenta un riesgo también puede influir en la decisión. Una mujer que tiene su primer hijo puede no prestar atención al riesgo de una histerectomía o al efecto de las cicatrices en el útero para su fertilidad; si ha tenido una cesárea puede que le preocupe la rotura de la cicatriz durante el parto pero no la posibilidad de que haya una infección. Algunos médicos presentan un riesgo y dejan la decisión final a la mujer, que se siente perdida; cualquier riesgo para su bebé le parece excesivo.

A la hora de hablar del parto hay una gran diferencia de poder entre las mujeres y los médicos. Las mujeres se suelen dejar guiar, así que en muchos casos depende del criterio y de la voluntad del médico que consideren otras posibilidades.

No son sólo las mujeres las que «eligen» una cesárea. Los médicos no tienen que soportar una infección o cuidar a un bebé y a otros niños mientras se recuperan de una operación quirúrgica abdominal. Una operación electiva es más segura y menos estresante que operar en medio de una crisis. Cuantas más cesáreas practican más experiencia adquieren, pero su capacidad para enfrentarse a algunos problemas de otro modo se reduce, y esto altera su percepción de los riesgos y los beneficios.

En Brasil las cesáreas representan alrededor del 36 por ciento de los partos. Un estudio reciente[1] demostró que se realizaban seis veces más a las mujeres con estudios secundarios y dos veces más a las mujeres urbanas que a las mujeres rurales y sin estudios. Sin embargo, el 80 por ciento de las que se sometieron a la operación en un hospital público querían un parto vaginal al entrar en el hospital.

Los investigadores analizaron el proceso de las decisiones y llegaron a la conclusión de que no había una gran demanda de cesáreas por parte de las mujeres, sino que los tocólogos «participaban de una forma muy activa en la creación de la cultura de las cesáreas en Brasil».

¿Atención privada?

En muchos casos es posible conseguir una cesárea sin que haya razones médicas, o un parto en casa aunque el sistema sanitario no ofrezca esta posibilidad, pero puede ser costoso (véase capítulo 5). Algunas mujeres optan por la atención privada de un tocólogo especializado o una comadrona independiente.

Los tocólogos están cualificados para atender cualquier parto, pero tienen menos experiencia en partos normales porque suelen estar acostumbrados a resolver complicaciones. Aunque tus amigas te recomienden un tocólogo tendrás que pedir a tu médico de cabecera que te remita a él. Si no conoces a ninguno tu médico te puede proporcionar una lista de los que trabajen de forma privada. El parto se puede realizar en un hospital privado o público.

Las comadronas independientes están cualificadas para asistir cualquier parto normal y suelen tener mucha experiencia para ayudar a las mujeres a afrontar un parto natural. Normalmente se especializan en partos en casa, trabajan con una o más

1. Kristine Hopkins, «Are Brazilian women really choosing to deliver by Caesarian?», *Social Science and Medicine* vol. 51 (2000), n.° 5: 725-740.

colegas y tienen buenas relaciones con los hospitales locales. Muchas aceptan casos como un parto en casa tras una cesárea, y algunas trabajan en centros maternales. Ponte en contacto directamente con una comadrona independiente o pide una lista a la Asociación de Comadronas Independientes.

Algunas comadronas independientes ganan un sueldo modesto y trabajan sin seguro porque este coste haría que el servicio que ofrecen fuese prohibitivo. Los seguros son importantes si hay negligencias, y las comadronas independientes suelen tomar muchas precauciones, pero quizá te interese hablar de este tema en una consulta inicial.

El coste de la atención privada depende de la zona y del nivel de servicio que elijas, pero suele ser equivalente a unas vacaciones en el extranjero. Si optas por un tocólogo puede haber gastos adicionales por la estancia en el hospital, las pruebas realizadas o los honorarios de un anestesista por una epidural.

Puede ser posible pagar a plazos, y a veces el precio se reduce en circunstancias especiales.

Sopesando las opciones

Enfoque natural:

- Si no hay ningún problema un enfoque natural puede ser mejor para la madre y para el bebé.
- Si decides tener un parto natural pero surge una complicación o por algún motivo el dolor es insoportable siempre puedes recurrir a la tecnología.
- Normalmente es más fácil tener un parto natural en casa o en un centro maternal. Las comadronas se suelen sentir seguras con los partos naturales y son menos propensas a intervenir.

Parto con tecnología:

- La tecnología elimina algunas incertidumbres del parto y hace que sea más previsible. No hace que un parto sea más seguro para una madre y un bebé sanos.
- La tecnología puede hacer que una intervención lleve a otra cuando de otro modo no habría sido necesario. Una vez que se pone en marcha no puedes cambiar de opinión, y puedes conseguir más de lo que esperabas recibir.
- Un enfoque mixto significa cosas diferentes para distintas personas, y puede cubrir desde un parto casi natural hasta un parto controlado activamente.

Parto en casa o en un centro maternal:

- Las mujeres suelen estar más relajadas, necesitan menos calmantes y tienen menos intervenciones y menos riesgo de contraer una infección.
- Legalmente no tienes derecho a solicitar un parto en casa; pero tampoco te pueden obligar a ir a un hospital para dar a luz. No hay unas pautas claras al respecto, pero normalmente se puede llegar a un acuerdo.
- En un parto en casa hay menos normas: puedes hacer lo que quieras, cualquiera puede estar presente y no tienes que dejar a tus hijos.
- Si surge un problema tendrán que trasladarte al hospital. Esto suele ocurrir mucho antes de una situación de crisis, pero el tratamiento de emergencia puede llevar más tiempo.

Parto en el hospital:

- Cualquier ayuda que sea necesaria es inmediata, pero cuando la tecnología está a mano a veces se utiliza de forma inapropiada.

- Es posible que tengas que compartir una comadrona con otras mujeres. Si el personal parece estar muy ocupado quizá no te atrevas a pedir ayuda después del parto.
- Puede ser más difícil tener un parto natural, a no ser que tengas un parto fácil y rápido. Si el personal está acostumbrado a depender de la tecnología puede resultar difícil resistirse a ella aunque en tu caso no sea esencial.
- En el hospital conocerás a otras madres, te prepararán la comida y las comadronas estarán a mano para ayudarte a cuidar a tu bebé o responder preguntas.

Atención privada:

- Sabes quién te atenderá durante el embarazo y el parto y puedes establecer con ellos una relación. Te dan un servicio personal y flexible y una atención continua.
- Puedes fijar las revisiones prenatales en el lugar y el momento más adecuado para ti.
- Un hospital privado o un centro maternal pueden ofrecer más comodidades que un hospital público.
- La atención privada puede ser cara, y no siempre es mejor que la atención pública.

Formación de ideas

Decidir el parto que quieres es un proceso progresivo más que una serie de opciones comerciales. Algunas mujeres saben lo que quieren desde el principio, pero la mayoría desarrolla sus ideas a medida que avanza el embarazo y tiene más información sobre las opciones y lo que hay disponible en su zona.

Si tienes una enfermedad que pueda influir en el parto o existe la posibilidad de que surja una complicación lo lógico es que decidas ir al hospital. De lo contrario tus decisiones girarán en torno al tipo de parto que prefieres o al lugar que te parece más seguro. Si vives cerca de varios hospitales y la red sanitaria de tu zona dispone de centros maternales y un servicio de partos en casa tendrás más opciones.

En el Reino Unido las comadronas son independientes y no trabajan bajo las órdenes de los médicos, pero dependen de una institución sanitaria local que regula sus condiciones de trabajo. Por ejemplo, algunas autoridades sanitarias locales no permiten que se realicen partos en casa, y si una comadrona ofrece esta opción puede poner en riesgo su trabajo.

Si quieres dar a luz en el hospital pero el único que hay en tu zona tiene un enfoque de alta tecnología no será muy realista esperar un parto natural. Tendrás que aceptar la posibilidad de que se utilice la tecnología o cambiar de opinión y tener un parto en casa. Igualmente, si quieres un parto controlado de forma activa o una cesárea tendrás que buscar otro hospital que se adapte a tus necesidades o ir a uno privado.

Una buena preparación y un buen apoyo emocional pueden hacer que un parto sea una experiencia positiva, pero el enfoque que elijas y dónde decidas tener a tu bebé determinarán inevitablemente tu experiencia.

El instinto es importante a la hora de saber qué es lo más adecuado para ti, sobre todo cuando el corazón te dice una cosa pero el miedo es mayor. ¿Qué tipo de persona eres? ¿Qué hace que te sientas segura? Necesitas conocerte a ti misma, pero también debes ser realista. Tómate tu tiempo para tomar la decisión correcta.

Toma de decisiones

- Habla con tu pareja, tu familia y tu comadrona de dónde quieres tener a tu bebé.
- Los profesionales de la salud pueden aconsejarte, pero no pueden decidir por ti.
- Separa la decisión de la ansiedad que puede precederla. Revisa la situación dentro de dos, cuatro o seis semanas; para entonces habrás hecho progresos y te darás cuenta de lo que quieres realmente, o podrás decidir si algo no te conviene.
- No tengas miedo a tomar una decisión porque es posible que no funcione. Cambiar de planes puede ser decepcionante, pero no es un desastre.
- Reconoce qué potencia tu inseguridad. Te preocuparás por cosas que son importantes para ti, pero no tienes que escuchar a la gente que mine tu confianza; córtales a mitad de frase si es necesario.
- Si tu comadrona hace comentarios que te molestan o te preocupan díselo. Recuérdale que confías en que hará lo mejor para ti y que ella debe confiar en que tú serás realista.
- Si te parece bien dónde nacerá tu bebé y el enfoque general del parto puedes estar segura y relajada sin dar vueltas a los detalles.

Cómo preparar un parto en casa

Hoy en día muchos médicos apoyan los partos en casa, pero los que siguen considerando el parto como una emergencia médica que sólo va bien si tienes suerte, no como una experiencia normal de la vida que plantea un problema de vez en cuando, continúan oponiéndose a ellos.

No necesitas el permiso de tu médico para tener un parto en casa; puedes hablar directamente con una comadrona. Si no conoces a ninguna ponte en contacto con la supervisora de comadronas de tu hospital local y pídele que prepare la atención maternal necesaria porque tienes la intención de dar a luz en casa. No hace falta firmar ninguna solicitud.

Tu médico puede registrarte de forma automática en el hospital, sobre todo si es tu primer hijo o eres una madre mayor, pero la decisión es tuya. Puedes cambiar de opinión en cualquier momento durante el embarazo; algunas mujeres necesitan tiempo para conseguir más información sobre partos en casa y decidir cómo se sienten. Puede que te ofrezcan una cita con un especialista para hablar de tu decisión. Esto puede resultar útil, pero no es necesario conseguir la aprobación de un especialista y algunas mujeres prefieren no ver a ninguno.

Es posible que en tu zona haya un grupo de apoyo cuyos miembros ofrezcan información, presten libros o informes sobre partos, te pongan en contacto con comadronas solidarias o hablen informalmente de su experiencia. Conseguir información puede tranquilizar a tu pareja y a tu familia y ayudarte a decidir si es adecuado para ti.

Si tienes algún problema, te resulta difícil confiar en tu criterio o te encuentras con algún tipo de oposición ponte en contacto con una asociación de servicios maternales.

Cómo preparar un parto en el agua

Prepárate para buscar información sobre partos en el agua. El apoyo que recibas dependerá de dónde vivas y de la experiencia que tenga tu comadrona, pero también puedes conseguir información en bibliotecas, librerías, compañías que alquilen piscinas para partos y asociaciones de servicios maternales.

Tu comadrona podrá decirte qué hospitales locales tienen una piscina instalada, o puedes comprobarlo en Internet. Recuerda que en algunos hospitales una mujer de cada cinco tiene una cesárea, pero sólo una de cada cien tiene un parto en el agua.

Normalmente se puede reservar una piscina para partos en el hospital (puede estar usándola otra persona), pero también puedes alquilar una piscina para utilizarla en el hospital o en casa.

Si decides tener un parto en el agua en casa porque no hay medios en el hospital local o crees que será más fácil, las autoridades sanitarias deberían asignarte una comadrona que supervise partos en el agua para que te atienda. Si tu comadrona no sabe mucho sobre el tema pídele que te ponga en contacto con una comadrona con experiencia o con una madre que haya tenido un parto en el agua; o que te diga con quién puedes contactar para prepararlo. Buscar a la persona adecuada para ayudarte (véase p. 138) puede ser costoso.

En una piscina caben normalmente 60 centímetros de agua como mínimo, cantidad suficiente para cubrirte bien el vientre. Puedes tumbarte o sentarte si la piscina es ovalada, y algunas compañías alquilan piscinas hinchables, que son más baratas y se pueden llenar con más rapidez si el parto se acelera.

Las compañías que alquilan este tipo de piscinas se anuncian en las Páginas Amarillas y las revistas de bebés. Los servicios, los tipos de piscinas, los precios y los periodos de alquiler varían, y algunas compañías ofrecen vídeos y cursillos de partos en el agua, así que compara precios y opciones.

La tarifa puede incluir una funda desechable, mangueras para conectar a la toma de agua, una cubierta para evitar que se pierda el calor y una bomba para vaciar la piscina. Si tu circuito de agua caliente tiene una capacidad de 136 litros puede que no sea necesario un calentador. El periodo normal de alquiler es de cuatro semanas, pero puedes preguntar si se puede prolongar o hay periodos de alquiler más cortos; o compartir los gastos con alguien de tu cursillo prenatal.

Comprueba la cobertura del seguro y la seguridad del equipo antes de alquilarlo. En los hospitales se revisa la seguridad eléctrica de la bomba y el calentador; en casa deberías utilizar un cortacircuitos para mayor protección. La compañía te dará todos los consejos prácticos que necesites para instalar la piscina con total seguridad.

Estas piscinas se han utilizado en casas móviles, así que los suelos de la mayoría de las casas deberían ser lo bastante fuertes para soportar ese peso. Novecientos litros de agua pesan aproximadamente lo mismo que quince personas de unos sesenta kilos cada una, y un grupo de gente puede poner más presión sobre las tablas del suelo. Ten en cuenta la antigüedad del edificio, el tipo de suelo y el tamaño de la piscina que elijas; si tienes alguna duda respecto a la seguridad consulta a un ingeniero (busca en las Páginas Amarillas o ponte en contacto con un inspector de urbanismo).

Elección de un hospital

Los hospitales varían en el enfoque y en los medios que ofrecen. El más cercano puede ofrecer lo que quieres, pero sin información no puedes tomar una decisión sensata. Consulta a tu comadrona o a tu médico de cabecera (véanse «Preguntas que conviene plantear», p. 116). Si es necesario llama por teléfono a la jefa de comadronas del hospital o pide ayuda al Servicio de Información Sanitaria. Compara datos estadísticos accediendo a las páginas web pertinentes.

Cuando tengas la información básica merece la pena que visites todos los hospitales que estés considerando para que puedas ver el ambiente y decidir si es posible que consigas allí el tipo de parto que quieres.

Si el horario de las revisiones prenatales no te conviene, o tu jornada de trabajo es muy larga, es posible que puedas ir a una clínica cerca de tu trabajo, que tu comadrona vaya a verte a casa o que tu médico de cabecera te atienda en el turno de noche, aunque de este modo la atención no sea continuada.

A la mayoría de las mujeres les gusta saber quién les atenderá durante el parto, y la continuidad de la atención es mayor si las comadronas tienen su propia consulta o trabajan en equipos pequeños. En algunas zonas hay un sistema en el que una comadrona te atiende antes y después del parto, que se realiza en el hospital. La continuidad puede hacer que sea más fácil tener un parto natural. Si eso es lo que quieres averigua cuál es la política del hospital respecto a las intervenciones. Pregunta si las comadronas te examinarán y te ayudarán a parir en cualquier postura que elijas para ver hasta qué punto son flexibles.

Una gran diferencia en los índices de intervención de los hospitales cercanos debería tener una explicación. Algunos hospitales trabajan con unos índices de entre un 10 y un 15 por ciento de cesáreas, entre un 8 y un 10 por ciento de partos inducidos, entre un 10 y un 15 por ciento de episiotomías y entre un 10 y un 12 por ciento de partos con fórceps y ventosas. Las estadísticas se deben interpretar con cautela, pero los índices elevados de un hospital se pueden deber a una unidad especializada o a que se remiten allí más embarazos problemáticos.

Tu estancia en el hospital se alargará si hay algún problema, pero puede que te interese averiguar lo flexible que sería el hospital si tuvieses dificultades para dar pecho o no te sintieras preparada para irte. Un par de días en el hospital te pueden parecer muy pocos si es tu primer hijo, aunque tu comadrona vaya a verte a casa y puedas llamar por teléfono en cualquier momento si necesitas ayuda.

PREGUNTAS QUE CONVIENE PLANTEAR

El personal del hospital se puede asustar si les bombardeas a preguntas, así que quizá te interese introducirlas en la conversación.

- **Continuidad de la atención:** ¿Dónde tendrán lugar las revisiones prenatales? ¿Hay otras alternativas? ¿Conoceré a la comadrona que me ayudará a dar a luz? ¿Cuántos bebés nacen aquí al año?
- **Enfoque natural:** ¿Cuántas mujeres han tenido aquí un parto natural? ¿Puedo parir sin intervención siempre que mi bebé y yo estemos bien? ¿Me pueden examinar y atender en el parto en la postura más adecuada para mí? ¿Me darán las comadronas apoyo y consejos prácticos para ayudarme a tener un parto natural?
- **Parto en el agua o activo:** ¿Hay una piscina para partos o una habitación personalizada? ¿Hay normas respecto a quién puede utilizarlas y cuándo? ¿Cuántas mujeres han tenido un parto en el agua en el último mes? ¿Cuántas han tenido una cesárea?
- **Intervención:** ¿Qué intervenciones puede haber? ¿Cuánto tiempo puede pasar antes de que me aceleren el parto? ¿Cuándo se considera necesaria la monitorización fetal? ¿Qué determina si me pueden poner una epidural? ¿Cuántos partos se inducen? ¿Cuántos partos con fórceps y ventosas se realizan? ¿Cuál es el índice de episiotomías del hospital?
- **Enfoque controlado activamente:** ¿Está disponible por la noche y los fines de semana? ¿Se ofrece una epidural si se solicita? ¿Me inducirán el parto si quiero un control activo?
- **Parto con cesárea:** ¿Cuántas cesáreas lleva a cabo el hospital? Si el índice es alto, ¿hay alguna razón? ¿Son comprensivos con las mujeres que eligen una cesárea? ¿Cuál es el índice de infecciones? ¿Qué analgésicos se ofrecen después? ¿Cuánto tiempo permanecen después las mujeres en el hospital?

- **Estancia en el hospital:** ¿Cuánto dura normalmente la estancia? ¿Hasta qué punto puede ser flexible el hospital? ¿Tendré una habitación individual si me practican una cesárea? ¿Hay habitaciones privadas para después del parto?

En resumen

- Piensa bien qué tipo de parto es más adecuado para ti. Intenta disponerlo todo para tener a tu bebé en un lugar en el que te sientas segura con el apoyo de gente que conozcas y en la que confíes.
- Tómate tu tiempo para reunir información (véase «Páginas web», p. 253) y tomar decisiones. Puedes cambiar de opinión o de planes en cualquier momento durante el embarazo.
- Haz todas las preguntas necesarias para conseguir la información que quieras. Muchas veces podrás juzgar por las omisiones tanto como por las respuestas que te den.
- Puede ser más fácil tener un parto con cesárea si puedes demostrar que lo has pensado bien y aceptas los inconvenientes; pero si has tomado esa decisión por miedo puedes buscar gente que te apoye adecuadamente.
- Es posible que nunca estés segura de haber tomado las decisiones correctas; sólo contenta de hacer las cosas lo mejor posible y de acertar en algunos casos. Aprenderás más si te equivocas por ti misma que si otras personas se equivocan por ti.

GUÍA RÁPIDA: ASISTENCIA EN EL PARTO

Algunos partos necesitan asistencia debido a una complicación, pero en muchos casos lo deciden la madre o la comadrona. Quizá te interese tener más información sobre las ventajas y los inconvenientes de la ayuda disponible para poder hablar de las razones de una posible intervención.

- **Inducción:** el parto se puede inducir si tienes una enfermedad como la preeclampsia (presión sanguínea alta y un elevado nivel de proteínas en la orina) o has salido de cuentas. Te pondrán un pesario o un gel alrededor del cérvix para ablandarlo y tu bebé estará monitorizado continuamente. Si el parto no comienza, el siguiente paso es la aceleración.
- **Aceleración:** si el parto es lento puede que te rompan las aguas con un aparato similar a un ganchillo de plástico; tus contracciones se pueden acelerar con hormonas artificiales a través de un goteo colocado en el brazo. Tu bebé estará monitorizado continuamente.
- **Monitorización:** un monitor fetal puede proporcionar una señal de alarma si tienes un goteo hormonal o los latidos de tu bebé son irregulares. Los electrodos se pueden conectar a tu abdomen con correas elásticas o a la cabeza de tu bebé por medio de una pinza o una ventosa. Registran la reacción del bebé a cada contracción.
- **Fórceps:** son una especie de cucharas curvadas que se utilizan durante las contracciones para ayudar a la madre a empujar. Pueden proteger la cabeza del bebé en un parto demasiado rápido, o ayudar a nacer a un bebé si no tiene la cabeza en una buena posición, vuelve hacia atrás entre contracciones o la madre está agotada.
- **Ventosas (extracción al vacío):** se ajusta una pequeña ventosa de metal o silicona a la cabeza del bebé y una bomba extrae aire durante unos minutos, como cuando un niño aspira el aire de una taza. Como los fórceps, pueden ayudar a la madre si está cansada, evitar que la cabeza del bebé vuelva hacia atrás o girarla un poco para que pase por la pelvis de la madre.

GUÍA RÁPIDA: CÓMO HACER EL PARTO MÁS FÁCIL

- Un primer parto es especial. Puedes necesitar más apoyo, ánimo y paciencia que para los partos posteriores, en los que podrás basarte en tu experiencia previa.
- Si tu parto anterior no fue bien trata éste como si fuera el primero y busca el apoyo que necesites.
- Tu estado de ánimo influye en tus hormonas, que a su vez afectan directamente a tu útero. Si te da miedo dar a luz reconócelo. Habla con tu comadrona o pide a tus amigas que te recomienden un buen libro o una monitora que te pueda dar confianza.
- Si no te parece bien dónde va a nacer tu bebé busca otras alternativas, y si es necesario pide que te cambien la reserva.
- Aprende a relajarte conscientemente y a utilizar bien tu cuerpo durante el embarazo. Así evitarás dolores innecesarios y tu cuerpo tendrá más posibilidades de funcionar de un modo eficaz durante el parto.
- Pregunta a tu comadrona si puede ir a verte en las primeras fases del parto para que tu pareja y tú estéis seguros de que todo va bien.
- Mantén las luces bajas si el parto comienza por la noche. La oscuridad y la luz baja favorecen el cerebro primitivo y te ayudarán a adoptar un comportamiento instintivo.
- Puedes rechazar a cualquier cuidador. Si te sientes molesta o presionada por el personal, tu pareja puede pedir amablemente a la enfermera jefe que te atienda otra persona.
- Un apoyo sensible en el momento oportuno puede aumentar tu umbral del dolor y ayudarte a afrontar el parto. Aunque tu pareja no haga nada agradecerás su presencia; el cariño es más importante que la técnica.

Capítulo 5

Cómo preparar el parto

La clave para conseguir el parto que quieres reside en la preparación. Cuando estás embarazada por primera vez el parto parece muy lejano, pero te llevará tiempo cambiar tus suposiciones, reunir la información que necesitas para tomar decisiones consistentes o convencer a los demás de que estás hablando en serio. Tu primera idea respecto al tipo de parto que quieres puede no ser la última.

Nunca habrá una manera «adecuada» de dar a luz porque la gente da importancia a objetivos diferentes y sus puntos de vista pueden variar sin que sean correctos o incorrectos. A medida que sepas más puedes cambiar de idea y estar abierta a alternativas que no habías considerado previamente.

Merece la pena comprobar todas las opciones antes de suponer que tu decisión está limitada al menú que te ofrezcan el médico o la comadrona en la primera visita. Los profesionales de la salud actúan a veces como porteros, y sólo mencionan las opciones que aprueban o están acostumbrados a poner en práctica. Para tener una perspectiva más amplia lee libros y revistas, ve vídeos y habla con amigas y familiares que hayan tenido diferentes experiencias. Mira en Internet y consulta a asociaciones especializadas.

El trabajo de tu médico y tu comadrona consiste en colaborar contigo para que tengas el parto que quieres en la medida de lo posible. Cuando hayas reunido toda la información selecciona lo que más te interese o consideres adecuado. Tus preferencias irán tomando forma y serás capaz de quedarte con dos o tres opciones.

Con una buena atención los detalles de dónde o cómo darás a luz no son tan problemáticos, pero si el parto es importante para ti no hay nada que sustituya a tu preparación. Puede hacer que seas más realista, ayudarte a conseguir lo que quieres, aunque sea distinto de lo que eligen otras mujeres, y darte la capacidad para cuestionar una respuesta automática. Sobre todo puede llevarte hacia la gente que mejor puede ayudarte.

Paso a paso

Entre un mal sueño y una ambición factible hay una gran diferencia; sea cual sea tu objetivo necesitas saber qué quieres y por qué lo quieres. Comparte tus ideas con alguien para tener siempre un respaldo y mantente firme en tu postura sin permitir que te distraigan los planes de otras personas. Tendrás más posibilidades de éxito si crees que tu objetivo es alcanzable y eres realista a la hora de planificarlo.

En pocas palabras, decide tu objetivo, mira lo que has conseguido y lo que queda por hacer, reconoce qué te está deteniendo, valora tus cualidades e identifica los cambios que debes hacer para alcanzar ese objetivo.

Primer paso: Identifica tu objetivo

Sólo puedes determinar objetivos para ti misma, no para otras personas. Piensa en lo que quieres y exprésalo como algo positivo: por ejemplo, «Quiero que me pongan una epidural» en vez de «No voy a estar sufriendo durante horas como la última vez», o «Quiero un parto natural» en vez de «No quiero medicamentos ni intervenciones».

Plantear tu objetivo de una forma positiva es más constructivo. Olvídate del «si va bien» o «si es posible»: pueden indicar flexibilidad para ti pero inseguridad para otras personas. Aunque puedes cambiar de planes (véase «Cambio de opinión», p. 200), es posible que te tomen menos en serio si parece que tienes una postura ambigua desde el principio.

Sea tu decisión instintiva o el resultado de muchas deliberaciones, aclara tus razones para que te resulte más fácil convencer a otros si es necesario. Para tener confianza en ti misma y conseguir el apoyo de otras personas necesitas estar convencida de que lo que quieres es seguro, razonable y factible. Habla con alguien que lo haya conseguido (véase «Cómo buscar gente que pueda ayudarte», p. 138). Investiga un poco para que si alguien se opone a tu decisión sepas si tiene una buena razón para hacerlo o simplemente está exponiendo una opinión personal disfrazada con una capa de miedo o autoridad.

Con un planteamiento lateral las soluciones creativas se suelen presentar solas. El mapa del metro de Londres muestra cómo están unidas las estaciones, no dónde se encuentran realmente. Para los usuarios del metro esto es más útil que un mapa real porque la pregunta clave no es «¿dónde está la estación x?» sino «¿cómo puedo llegar a la estación x?».

Una vez que identifiques tu objetivo la pregunta clave no es «¿Me permitirán hacer esto?» sino «¿Cómo puedo conseguirlo?». Cuando tengas claro lo que quieres y la gente vea que lo has pensado bien, incluso los que en un principio se opongan o tengan una actitud indiferente estarán de acuerdo contigo.

Segundo paso: Revisa tus progresos

Haz una lista lo más completa posible de todo lo que necesites hacer para alcanzar tu objetivo. Pásasela a tu pareja o a una amiga para ver si has olvidado algo. Tacha lo que ya hayas hecho y pon el resto en orden. De ese modo tendrás un panorama claro de lo que has conseguido hasta ahora y de lo que queda por hacer (véase a continuación «Listas de progresos»).

Pocos objetivos se alcanzan con un gran salto. La mayoría se consigue mediante una serie de pasos pequeños o acciones intermedias. Esto puede incluir recabar información, afrontar temores y cambiar de idea, o buscar gente que pueda ayudarte y persuadir a los miembros de tu familia y a los profesionales de la salud. Convencer a la gente puede ser más costoso que reunir la información básica, pero las piezas irán encajando poco a poco y formarán una escalera que te permitirá alcanzar tu objetivo.

Listas de progresos

La madre de Gina, su pareja, Dave, y su comadrona no están de acuerdo con que dé a luz en casa porque es su primer parto, pero su prima Lucy tuvo a su primer hijo en casa y Gina está segura de que eso es lo que quiere. Necesita que todo el mundo se sienta cómodo con su decisión, pero también quiere que les parezca razonable.

- Conseguir más información, incluyendo pruebas científicas sobre la seguridad, para reforzar mi confianza y tranquilizar a mi madre y a Dave.
- Invitar a Lucy y a Martin a cenar para que nos cuenten su experiencia (¿se lo digo a mi madre?).
- ¿Hay algún grupo de partos en casa en esta zona? (Necesito apoyo y contactos útiles.)
- Ser asertiva: No estoy siendo irrazonable o poniendo dificultades al querer un parto en casa.

- Hablar de nuevo con la comadrona. Recordarle que no es un capricho. Lo he pensado bien y acepto que puedo necesitar que me trasladen al hospital. Si se sigue negando, preguntarle si conoce a otra persona que pueda ayudarme.
- Buscar una comadrona solidaria (¿contactos del grupo de apoyo?) y pedirle que hable con mi madre y con Dave para que se tranquilicen.

Maxine tuvo a su primer hijo en el hospital local y no pudieron ponerle una epidural porque el único anestesista que había estaba cubriendo una emergencia. Esta vez está decidida a que le pongan una.

- Buscar otros hospitales en la zona que ofrezcan epidurales las veinticuatro horas (consultar en Internet).
- Comprobar de qué otros medios disponen, su conveniencia, distancia, etc. y concertar citas para visitarlos (por orden de preferencia).
- Escribir las preguntas que me interesa plantear. ¿Hay alguna circunstancia en la que no puedan ofrecer una epidural, por ejemplo que sólo haya un anestesista por la noche? ¿Es posible que la sala de partos esté cerrada por escasez de personal y que envíen a la gente a otros hospitales?
- Si los hospitales cercanos no pueden garantizarme una epidural, ver si hay alguno cerca de la casa de mi madre y preguntarle si puedo quedarme con ella.
- Considerar un parto privado (comprobar coste y si nos lo podemos permitir).

Tercer paso: Supera los obstáculos

¿Qué se interpone en tu camino para alcanzar tu objetivo? Lo que a veces parece una barrera puesta por alguien puede ser un obstáculo que has construido tú misma.

El camino hacia cualquier objetivo no suele ser nunca liso y llano; normalmente hay obstáculos que no se ven al principio y en un primer momento parecen insuperables. Sin embargo, si los miras objetivamente encontrarás la manera de sortearlos.

Si tus familiares no apoyan tus preferencias porque están ansiosos, ¿podrías buscar gente o información que pueda convencerles de que tu opción es segura (véase «Cómo buscar gente que pueda ayudarte», p. 138)? Si el especialista del hospital local no acepta tus razones para optar por una cesárea electiva, ¿podrías ir a otro sitio? ¿Qué te lo impide?

Si las autoridades sanitarias locales no proporcionan un servicio de partos en casa podrías utilizar tu asertividad (véase p. 146) y convencerles para que te atienda una comadrona independiente; o contratarla tú misma solicitando un préstamo, pidiendo ayuda a un familiar o pagando a plazos. También puedes tener a tu bebé en una zona que ofrezca un servicio de partos en casa.

Todas estas estrategias exigen un esfuerzo adicional, y a veces la única solución es dejar a un lado tu objetivo de forma temporal. Puede que no tengas tiempo ni energía para hacer lo que sea necesario para conseguir tu objetivo en este momento. Las circunstancias son una razón válida para modificar un objetivo si no puedes reducir tus compromisos o pedir ayuda a tu pareja, tu familia o tus amigos.

A veces no se pueden controlar las circunstancias. Aunque quieras un parto natural, si una cesárea es más segura y lo reconoces no tiene sentido enfadarse. Puedes redefinir un objetivo porque tu mayor prioridad es el bienestar de tu bebé y optar por una cesárea con la que te sientes bien (véase «Planes de parto», p. 163).

Si no pierdes de vista tu objetivo es menos probable que los obstáculos que encuentres en tu camino te parezcan insuperables; pero si no puedes conseguir todo lo que quieres intenta llegar a un acuerdo. Un acuerdo no es un fracaso. Puedes seguir manteniendo el control si tú tomas la decisión.

Cuarto paso: Reconoce tus cualidades

La motivación proporciona la conexión mental entre las ideas y las acciones. Al analizar tus valores y reconocer tus cualidades puedes ver nuevas maneras de sortear obstáculos. Todo el mundo tiene capacidades que le ayudan a conseguir sus objetivos.

Pon por escrito tus valores y cualidades. Al principio es probable que tengas la mente en blanco, pero poco a poco empezarás a reconocer rasgos de carácter y atributos que pueden ayudarte a alcanzar tu objetivo. Pregunta a otras personas cuáles creen que son tus cualidades; puede que vean algunas que tú das por supuesto.

Tómate tu tiempo; esto es un ejercicio progresivo, no un pasatiempo para un día de lluvia. Puede que te encuentres ampliando la lista durante varias semanas. Cuantos más valores y cualidades reconozcas mejor. Cualquiera de ellos puede conducirte a un nuevo planteamiento, o darte la confianza necesaria para afrontar un obstáculo.

Una lista de tus valores y cualidades puede ayudarte si te da miedo comprometerte con una idea y decides no hacerlo porque un fracaso sería desmoralizante. Si sabes lo que quieres y no lo intentas por miedo a sufrir una decepción, perderás una oportunidad de obtener algo positivo de una experiencia.

Valores y cualidades

Gina: por lo general me llevo bien con la gente; puedo asumir la responsabilidad de mi vida; estoy dispuesta a cambiar; me interesa saber más sobre el parto; mi familia y mis amigos se preocupan por mí; normalmente encuentro la manera de evitar una discusión; he conseguido otros objetivos y estoy motivada para conseguir éste; escucho los consejos, pero tomo mis propias decisiones; soy sensible con los demás.

Maxine: puedo ser asertiva sin ser agresiva; cuando quiero conseguir algo persevero; soy bastante organizada para hacer planes; me gusta investigar si me interesa algo; puedo contar con el apoyo de mi pareja; soy optimista; normalmente mis decisiones resultan ser correctas; cuando sé lo que quiero soy muy decidida; veo la mayoría de las cosas de un modo positivo.

Quinto paso: Haz cambios

Ser consciente de tus valores y cualidades puede ayudarte a hacer los cambios necesarios para conseguir tu objetivo. Las creencias suelen ser un escollo. Puede que tengas que afrontar tus temores sobre el parto y el dolor, o adquirir más confianza en la capacidad de tu cuerpo para dar a luz. Puede que tengas que ajustar tu percepción del riesgo, decidir que merece la pena arriesgarse a algo y aceptar la responsabilidad de los resultados. Es fácil quejarse cuando no consigues lo que quieres, pero a veces la responsabilidad es tuya.

Si no tienes ningún problema para ser asertiva en tu trabajo, pero te cuesta pedir cualquier cosa para ti misma, puedes aprender a separar tus necesidades de lo que tu familia espera que hagas para poder actuar con independencia. Puedes aprender a hablar con los profesionales de la salud en los mismos términos y presentarles pruebas científicas si plantean sus opiniones personales como si fueran lo más adecuado.

Es posible que necesites buscar tiempo para centrarte en el parto ajustando tu ritmo de vida, o que tengas que convencer a tu pareja para que cambie el suyo para que podáis centraros juntos en el parto y tú puedas confiar en su apoyo. No puedes obligar a los demás a hacer lo que quieres, pero si actúas de un modo diferente su respuesta también puede cambiar.

La gente suele ser más comprensiva con lo que quieres si les explicas por qué lo has elegido. Un hospital con un procedimiento estándar puede estar dispuesto a llegar a un acuerdo si persistes educadamente. Una comadrona que intenta disuadirte de que tengas un parto en casa puede cambiar de actitud si se da cuenta de que estás bien informada y no es una simple fantasía.

Todos estos cambios son factibles. Exigen un esfuerzo por tu parte, pero si te mantienes firme puede que te sorprendan tus progresos. Un cambio conlleva un posible fracaso y puede dar miedo, pero también es una oportunidad para aprender más sobre ti misma.

Atención eficaz

En el siglo XVIII el desacuerdo entre los médicos y las comadronas se centraba en quién se hacía cargo de los partos. Hoy en día también puede haber discrepancias entre los enfoques de los médicos y las comadronas, y en algunos aspectos existe un conflicto similar, aunque más restringido, entre los padres y los profesionales de la salud.

Una atención eficaz se debe conseguir mediante acuerdos. Nunca será posible elegir con total libertad porque los recursos son siempre limitados, pero ni un profesional de la salud ni una mujer pueden insistir en un planteamiento concreto.

Los médicos y las enfermeras pueden recomendar algo y demostrar sus beneficios, pero no pueden imponértelo si tú no estás de acuerdo; ni tú puedes insistir en que un profesional de la salud te trate de un modo determinado. Cuando hay un desacuerdo debería haber una relación en la que las dos partes busquen la mejor solución, no en la que una persona decida lo que puede o debe hacer la otra.

A un médico le influirán los aspectos médicos de tu embarazo y tu parto, pero para ti también habrá factores psicológicos y sociales que te llevarán en diferentes direcciones. Tus prioridades serán distintas a las de tu médico, y si no se tienen en cuenta esas diferencias es menos probable que recibas una atención satisfactoria.

Cuando alguien diseña tu cocina te aconseja qué es más seguro, cómo se deberían colocar los aparatos y te presenta varias opciones sobre cómo puede quedar. Las normas de construcción y la situación de las tomas de agua, gas o electricidad influyen en el diseño, pero la mayor parte de los elementos es una cuestión de preferencias. Puedes saber qué quieres exactamente al principio o ir decidiéndolo gradualmente. Sin embargo, si la relación es eficaz acabarás con la cocina adecuada para ti.

El diseño final de tu cocina puede reflejar o no el gusto personal del diseñador, pero la que tiene que vivir con ella eres tú, al igual que tendrás que vivir con las consecuencias de las decisiones que se tomen respecto a tu parto.

De la misma manera, un médico o una comadrona deberían aconsejarte qué es más seguro y cuáles son los beneficios generales de su experiencia, pero no deberían imponerte sus preferencias. Hoy en día las mujeres embarazadas no dependen de los profesionales de la salud, y se deberían relacionar al mismo nivel para tomar la mejor decisión teniendo en cuenta las circunstancias.

Quitar el control a las mujeres, excepto en casos de emergencia, puede contribuir a la tendencia de culpar a la obstetricia. Si a una mujer la tratan como a un niño pequeño puede reaccionar exageradamente para protegerse. Si sale mal algo que han decidido por ella puede enfadarse mucho, aunque la intención fuera buena.

Sin embargo, si quieres compartir decisiones importantes tendrás que informarte lo mejor posible durante el embarazo. Haz preguntas cuando haya algo que no entiendas. Escucha atentamente los consejos porque en muchos casos te interesará seguirlos, pero toma tus propias decisiones. Estás en tu derecho.

Una atención eficaz depende de la comunicación y de que se cree un diálogo de entendimiento mutuo que conduzca a la responsabilidad compartida de las decisiones. Exige un esfuerzo consciente por ambas partes, pero puede generar confianza y permitir que mantengas el control de tu vida hasta el punto que quieras.

Cómo crear un diálogo

En un experimento psicológico en el que se utilizaron cámaras ocultas, pidieron amablemente a la gente que cediera su asiento en un tren. El cincuenta por ciento de los viajeros accedió. Como había muchos asientos libres se podría decir que no tenían ninguna razón para negarse: las consecuencias no les suponían ningún trastorno. Sin embargo, cuando la persona que lo pedía iba acompañada de alguien con uniforme todo el mundo obedecía.

Esto puede tener algo que ver con los sentimientos inconscientes respecto a la figura de la autoridad. Algo similar les ocurre a muchas mujeres cuando hablan con los profesionales de la salud. Se sienten incapaces de oponerse a una decisión con la que no están de acuerdo o de enfrentarse a una actitud de superioridad.

No hay ninguna razón por la que una mujer sana que está experimentando la vivencia más normal de su vida, que en cualquier otra situación haría preguntas o tomaría sus propias decisiones, tenga que aceptar las pautas de un médico o una comadrona sin vacilar y crea que no le queda más remedio que obedecer. Aunque te interese confiar en los expertos y estén seguros de sus criterios, los profesionales de la salud pueden cometer errores o tener ideas desfasadas como cualquier otra persona.

Nadie quiere basar sus decisiones en datos obsoletos o en puntos de vista subjetivos y, por lo tanto, las pruebas científicas son una parte útil de cualquier diálogo. El propósito de la investigación es asegurar que cualquier tratamiento o procedimiento que se lleve a cabo sea eficaz y beneficie a los pacientes en general. Puede resolver diferencias de opinión, permitir a tu médico o comadrona proporcionarte la alternativa que prefieras o ayudarte a comprender que algo está justificado. El objetivo es el debate, no la confrontación.

No es necesario que te conviertas en una experta en el tema, pero es más fácil tener un verdadero diálogo si puedes plantear las preguntas adecuadas. Tener información refuerza la sensación de igualdad y puede darte seguridad para pedir una segunda opinión si es necesario.

Algunos profesionales de la salud no se dan cuenta de la sutileza con la que desacreditan a las mujeres, sobre todo en los hospitales, donde suele ser habitual. Si una mujer hace preguntas pueden hacer que se sienta como si no supiera de qué está hablando, con lo cual su confianza se resquebraja y su autonomía se desvanece.

A otros les resulta difícil aceptar que un consejo pueda ir acompañado de una negativa. Suponen que una mujer que rechaza un consejo no ha entendido la situación, cuando en realidad puede haberla entendido perfectamente pero tiene una percepción distinta del riesgo o decide negarse por motivos personales.

Si te encuentras con alguna oposición date tiempo para reflexionar antes de abordar de nuevo el tema; una negativa inicial puede no ser la última palabra. A algunas mujeres les gusta poner las cosas por escrito, pero a través del diálogo puedes cambiar la opinión de los demás o ellos pueden cambiar la tuya.

Fuerza interior

Ser asertiva es más fácil si crees que tienes derecho a que te traten como un igual. Para reforzar tu fuerza interior debes respetar tus necesidades, sentimientos y derechos así como los de los demás. Si reconoces e identificas tus sentimientos, los aceptas y los expresas llegarás a ser tú misma.

Tu confianza puede flaquear cuando estás embarazada, pensando en tu bebé y en ti misma o frente a alguien con el ceño fruncido y un estetoscopio. Muchas mujeres son perfectamente capaces de asumir la responsabilidad o de actuar de un modo razonable cuando su bienestar está en juego, pero no cuando se trata de su bebé, y esto se refleja en su actitud y en su lenguaje corporal.

El lenguaje corporal surge de tus emociones internas y puede reforzar o anular lo que pretendes decir. Si tu tono de voz, la expresión de tu cara o tu postura indican duda o inseguridad estos mensajes no verbales pueden ser más elocuentes que las palabras. Algunas mujeres no consiguen lo que quieren porque reaccionan exageradamente cuando se sienten amenazadas, e insisten en sus puntos de vista ignorando los de cualquier otra persona. Las personalidades menos fuertes dejan caer pistas, pero se enfadan cuando la gente no las capta; o se inhiben y dejan que los demás decidan por ellas.

El comportamiento agresivo, manipulador o pasivo suele hacer que los demás se sientan culpables o se pongan a la defensiva, y en respuesta toman el control. Pueden intentar que te sientas ridícula o ignorante para reforzar su autoridad o insinuar que eres una egoísta o una rara cuando todo el mundo acepta lo establecido.

A muchas mujeres les resulta difícil enfrentarse a la gente que consideran que tiene autoridad, aunque estén seguras de lo que quieren. Ser diferente no significa ser irrazonable o irresponsable, pero la desaprobación o el rechazo resultan incómodos y pueden resquebrajar las raíces de la autoestima, sembrando la semilla de la duda.

Planteando preguntas

Piensa en lo que quieres saber e incluye las preguntas en la conversación; lanzarlas todas seguidas puede parecer agresivo.

- ¿Por qué recomienda este tratamiento (enfoque, procedimiento)? ¿Podría hacer un breve resumen de las pruebas? (En caso contrario compruébalo tú misma; véase «Páginas web», p. 253.)
- ¿Cuáles son las ventajas y los inconvenientes? ¿Hay algún otro inconveniente? (Por si acaso se ha olvidado alguno.)
- ¿Es este tratamiento esencial u optativo? ¿Podríamos hablar de otras opciones?
- ¿Hay diferencias de opinión entre los expertos?
- ¿Cuál es el índice de éxito de este tratamiento? ¿Cuáles son sus resultados comparados con los de otros especialistas? (Una pregunta delicada que necesita una respuesta abierta.)
- ¿Es seguro para el bebé? ¿Hay algún riesgo si no lo llevo a cabo?
- ¿Podríamos mi pareja y yo tener una segunda opinión?
- No estoy segura de este tratamiento. ¿Podría darme más información?
- Si no es urgente nos gustaría tener un poco de tiempo para considerarlo. ¿Podríamos pensar en lo que nos ha dicho y hablar de nuevo con usted? (Así se consigue tiempo para comparar alternativas.)

Una mujer asertiva no consigue lo que quiere de forma automática, pero no depende en exceso de la aprobación de los demás, y cuando le niegan algo no se siente desmoralizada. Sabe que todo el mundo tiene cualidades positivas y negativas, reconoce lo que necesita y es capaz de pedirlo abiertamente. Su fuerza interior se traduce en que espera que la traten como un igual.

Mira la lista que has compilado para comprobar tus progresos (véanse pp. 123-124) y selecciona las situaciones que te gustaría afrontar de una forma más asertiva. Escribe al lado de cada una cómo la resolverías ahora mismo sin incluir ninguna autocrítica. El objetivo es que seas más consciente de cómo afrontas normalmente una situación para poder cambiar un comportamiento agresivo, manipulador o pasivo.

Comenzando con la situación que te parezca más fácil, para que cuando te salga bien te sientas animada a abordar algo más difícil, considera cómo podrías afrontar cada situación de una forma asertiva (véase «Guía rápida», p. 146).

Insistencia educada

La mayoría de los profesionales de la salud prefieren ser útiles y no suponer un obstáculo. Es mejor conseguir un resultado insistiendo educadamente que recurriendo a tácticas agresivas, manipuladoras o pasivas, como se demuestra en los siguientes ejemplos.

Objetivo de Pauline: preparar una cesárea electiva

Pauline: «¿Podríamos hablar de cómo se prepara una cesárea, por favor?»

Comadrona: «No le hará falta si no hay ninguna complicación.» (desviación)

Pauline: «En cualquier caso me gustaría hablar de ese tema.» (insistencia)

Reacciones automáticas

En algunos casos la elección de una cesárea o un parto en casa provoca una negativa automática. Utiliza tu asertividad para contrarrestar este tipo de respuestas.

«No puede tener un parto con cesárea porque...»
«Es una mujer joven y sana, no necesita una operación quirúrgica.»
Mi experiencia indica que para mí tendría más riesgos psicológicos un parto normal. ¿Qué ayuda emocional me proporcionarán para afrontarlo antes y después del parto?
«Tiene más riesgos y la recuperación es más larga.»
Lo comprendo y lo acepto, pero las cesáreas electivas son muy seguras. Lo he pensado bien y he dispuesto la ayuda necesaria para el posparto.

«No puede tener un parto en casa porque...»
«He visto a gente morir desangrada en un parto en casa.»
Debe ser terrible, pero eso no significa que me vaya a pasar a mí. ¿Con cuánta frecuencia hay una hemorragia grave? Si surge un problema me pueden poner una inyección de sintometrina o trasladarme inmediatamente al hospital.
«No tenemos personal disponible.»
¿Con cuánta frecuencia ocurre eso? ¿Qué sucede cuando hay escasez de personal en el hospital? ¿Cuál es su índice de partos en casa? (¿Cubren la demanda en la zona?)
«En esta zona no disponemos de un equipo móvil.»
En otros sitios el servicio de ambulancias traslada rápidamente a las mujeres al hospital. ¿Es eso un problema en esta zona?
«En esta zona no hay demanda de partos en casa.»
¿Cómo lo saben? ¿Se ha hecho algún estudio para comprobar la demanda? ¿Podría ver los resultados?

Comadrona: «Sólo está embarazada de doce semanas. Ya hablaremos de eso más adelante.» (desviación)

Pauline: «Quiero saber cómo puedo tener un parto con cesárea. ¿Podríamos hablar hoy?»

Comadrona: «Dar a luz es algo perfectamente normal. No hay necesidad de tener miedo.»

Pauline: «Sé que es normal, pero no para mí. Siempre he sabido que si alguna vez tenía un bebé necesitaría hablar de una cesárea electiva al principio del embarazo.»

Comadrona: «No es una opción fácil y no creo que el especialista esté de acuerdo. El servicio de salud no puede ofrecer una cesárea a todo el mundo que la quiera.» (desviación)

Pauline: «No es un capricho. Es que no soy capaz de afrontar un parto normal por algo relacionado con mi pasado. Quiero saber de verdad qué ocurre con las cesáreas, por favor.» (insistencia)

Comadrona: «Ya comprendo. En ese caso hablaremos hoy de ello, por supuesto.» (¡un resultado!)

Objetivo de Sara: cambiar su reserva del centro de obstetricia al centro maternal

Sara: «Me gustaría cambiar mi reserva del centro de obstetricia al centro maternal.»

Médico: «Está de treinta y seis semanas, ¿verdad? Es un poco tarde, ¿no cree?» (desviación)

Sara: «Sí, estoy de treinta y seis semanas. ¿Podría arreglarlo, por favor?» (insistencia)

Médico: «¿Ha visitado el centro principal? Está muy bien.» (desviación)

Sara: «He visto los dos y me gustaría cambiar mi reserva al centro maternal.»

Médico: «¿Por qué quiere cambiar? En el centro principal disponen de todos los medios necesarios si hay alguna complicación. No sabe qué tipo de parto tendrá, y un traslado en medio del parto podría ser estresante.» (desviación)

Sara: «Lo sé, pero he decidido que quiero dar a luz en el centro maternal.»

Médico: «Si yo fuera usted tendría a mi primer hijo en el centro principal.» (desviación)

Sara: «Muchas mujeres lo prefieren, pero a mí me gustaría dar a luz en el centro maternal, por favor.»

Médico: «Muy bien, si está segura de que eso es lo que quiere.» (¡un resultado!)

Objetivo de Lizzie: hablar con su comadrona

Lizzie (por teléfono): «Creo que estoy de parto. ¿Podría hablar con mi comadrona, Maggie, por favor?»

Comadrona: «Maggie está ocupada ahora mismo y andamos escasos de personal. Me temo que tendrá que venir al hospital para dar a luz.» (desviación)

Lizzie: «Pero yo he contratado un parto en casa. ¿Quiere decir que no puedo tener a mi bebé en casa?»

Comadrona: «Estamos desbordados. Si Maggie va a atender un parto en casa podría poner en riesgo a otras mujeres. No querrá que suceda eso, ¿verdad?» (desviación)

Lizzie: «Cuando hablé de esto con Maggie me dijo que si había poco personal llamarían a alguien del centro de comadronas. ¿Puedo hablar con ella?» (insistencia)

Comadrona: «Supongo que podríamos hacer eso, pero sería mejor que viniese. (Pausa)... Bueno, si insiste llamaré a Maggie.»

Lizzie: «Gracias, me gustaría hablar con ella.» (insistencia)

Comadrona: «Ha tenido suerte, acaba de llegar. Le paso el teléfono.» (¡un resultado!)

Objetivo de Julie y Steve: utilizar la piscina para partos del hospital

Julie (al llegar al hospital): «¿Podríamos usar la sala de la piscina, por favor?»

Comadrona: «No sé si está libre. Esperen aquí de momento.» (desviación)

Julie (cuando vuelve la comadrona): «¿Está libre la sala de la piscina? Me gustaría utilizarla.» (insistencia)

Comadrona: «No hay nadie en ella, pero no hemos tenido tiempo de limpiarla bien.» (desviación)

Julie: «¿Podría hacerlo alguien, porque me gustaría tener un parto en el agua?» (insistencia)

Comadrona: «Yo no estoy formada para supervisar ese tipo de partos.» (desviación)

Julie (desesperada): «¿No hay nadie más? Quiero utilizar esa piscina, de veras.»

Comadrona: «Esta noche andamos un poco escasos de personal.» (desviación)

Steve: «Esto es importante para Julie. Le agradeceríamos que preparase la sala de la piscina para que pueda tener un buen parto.»

Comadrona: «Sí, por supuesto. Vamos a instalarles allí y yo misma limpiaré la piscina. Jan ha hecho el cursillo de partos en el agua. Ella les atenderá.» (¡un resultado!)

Cómo buscar gente que pueda ayudarte

Si no puedes tener el tipo de parto que quieres porque surge un problema es posible que te sientas decepcionada, pero te resultará más fácil aceptarlo si comprendes que es necesario cambiar de planes por tu bien o el de tu bebé. En ese caso se trata de tomar otra decisión porque las circunstancias han cambiado.

Sin embargo, cuando el sistema te niega una opción que es

importante para ti, o te dicen que no puedes acceder a algo que en otros sitios se considera razonable, puede ser más difícil de aceptar. Es posible que vayas en contra de la moda, o que los profesionales de la salud de tu zona no estén dispuestos a hacer ningún esfuerzo para proporcionarte lo que quieres.

Algunas autoridades sanitarias creen que saben qué es lo mejor para las madres y no ven la necesidad de ofrecer distintos enfoques. Diseñan planes y estrategias sin consultar a nadie y luego fingen que escuchan las opiniones de las mujeres antes de decirles lo que es bueno para ellas.

Enfrentarse a una oposición férrea es especialmente difícil si el embarazo está muy avanzado. Si te encuentras con una hostilidad constante puedes pasar de estar segura de que tu decisión es adecuada y el esfuerzo merece la pena a no importarte qué tipo de parto puedes tener y desear simplemente que todo se acabe porque la tensión es excesiva.

Conseguir el parto que quieres depende en muchos casos de encontrar a la persona adecuada para ayudarte. La mayoría de las mujeres que se enfrentan a una oposición se sienten vulnerables y necesitan gente que pueda compartir experiencias, proporcionar información imparcial o dar apoyo emocional. Las amigas, las compañeras de trabajo, una comadrona comprensiva, un grupo de apoyo específico o una organización especializada pueden ponerte en contacto con la persona adecuada. Una red de mujeres de todas las edades con diferentes opiniones, para quienes la experiencia del parto es importante en sí misma, puede ayudar a otras proporcionando contactos o respondiendo preguntas concretas.

Ahí fuera, en alguna parte, está el apoyo que necesitas. Márcate un plazo realista y consigue toda la ayuda que puedas. Intenta mantener la energía positiva y tener tu objetivo claro. Simplifica tu historia: es posible que te pasen de una persona a otra hasta que encuentres a la que puede ayudarte. Conecta la antena y ejercita la paciencia.

Lleva un diario

Anotar lo que vaya ocurriendo y describir cómo te sientes al respecto te ayudará a registrar tus progresos y hacer un buen seguimiento.

El diario de Petrina

Petrina y Martin viven en una zona aislada y van a tener a su primer hijo en octubre en St Catherine's, el hospital más cercano.

26 de marzo: Revisión prenatal en St Catherine's, 14.00. Un largo viaje y una larga espera. Parecen muy apresurados e impersonales. No ha habido oportunidad de hacer preguntas.

21 de mayo: Ecografía en St Catherine's, 10.30. Espera corta pero el personal estaba muy ocupado. No les gusta que les molesten con preguntas. Parece una fábrica de bebés. No estoy segura de que quiera dar a luz allí.

26 de mayo: No hay ningún centro maternal en la zona y no hacen partos en casa; todo el mundo va a St Catherine's. Martin ha señalado que la sala de partos puede ser diferente de la consulta prenatal, así que hemos organizado una visita para verla.

16 de julio: Visita a la sala de partos, 16.00. Mis temores se han confirmado. Personal amable pero con mucho trabajo; me han dicho lo que me permitirían y no me permitirían hacer.

18 de julio: Martin ha buscado en Internet un centro maternal cerca de la casa de mi madre para poder quedarme con ella, pero no ha habido suerte. Él sugiere un parto en casa aunque la comadrona nos dijo que no los hacían. Me estoy poniendo nerviosa; sólo quedan diez semanas y quiero tenerlo todo arreglado.

30 de julio: Revisión prenatal, 15.00. No hay servicio de partos en casa; los servicios maternales están «centralizados por razones de costes y seguridad». Martin quiere comprobar si es cierto.

31 de julio: No estoy de acuerdo en que se concentren los recursos en un tipo de atención, pero estoy desanimada. Hemos llamado por teléfono a la Asociación Nacional de Partos para conseguir contactos y apoyo. Dicen que el gobierno espera que las autoridades sanitarias ofrezcan partos en casa y que no hay ninguna evidencia que justifique que se niegue esta opción por razones de costes o seguridad. Martin ha escrito a las autoridades sanitarias pidiendo que lo reconsideren.

1 de agosto: Hemos contactado con la Asociación de Comadronas Independientes. No hay ninguna comadrona independiente cerca, pero Alison está dispuesta a venir para hablar de mi parto. Nos ha levantado el ánimo.

13 de agosto: Las autoridades sanitarias han respondido que sus comadronas no tienen experiencia en partos en casa, pero si no los atienden no se sentirán seguras, y si no se sienten seguras jamás los atenderán. Alguien tiene que romper el círculo. Hemos llamado para concertar una reunión con las autoridades sanitarias. Estoy harta; esto es interminable.

15 de agosto: Reunión con Alison, la comadrona independiente, 19.00. Sé que puedo confiar en ella. Si no podemos llegar a un acuerdo con las autoridades sanitarias (reunión el 1 de septiembre; la temo) hemos decidido pedir un préstamo para pagar sus servicios.

1 de septiembre: Reunión con las autoridades sanitarias, 10.00. Martin se ha tomado el día libre. Les hemos pedido que paguen los honorarios de Alison porque no pueden ofrecernos esa opción. Después de discutir mucho han reconocido que les interesa abordar este asunto y van a pagar parte de los gastos. Mi comadrona me atenderá para adquirir más experiencia. ¡Es genial!

5 de octubre: 6.00. Harry ha nacido en casa y es precioso. Aunque no habíamos considerado esta opción hasta julio, la gente estaba dispuesta a ayudarnos.

El diario de Marie

Marie y Doug tienen unos gemelos de cinco años y esperan a su bebé para comienzos de enero.

7 de diciembre: Revisión prenatal en casa, 11.00. El bebé está de nalgas. La comadrona dice que cuatro de cada cinco se dan la vuelta antes del parto y que algunos bebés de nalgas se pueden recolocar mediante una versión cefálica externa.[2] De lo contrario necesitaré una cesárea. No podré conducir durante seis semanas; ¿cómo me las arreglaré? Doug tiene un viaje de trabajo a Canadá en febrero.

14 de diciembre: Revisión prenatal, St Anselm's, 10.30. El bebé sigue de nalgas y otra comadrona nos ha dicho que los especialistas del hospital no tienen experiencia en versiones cefálicas, así que si el bebé no se da la vuelta necesitaré una cesárea. Estoy desconsolada. He llamado al Servicio de Información Sanitaria para pedir consejo y dicen que hay un especialista en Walton Edge que podría acceder a dar la vuelta al bebé.

28 de diciembre: Cita con el especialista, St Anselm's, 11.30. No ha habido ningún cambio. El especialista ha dicho que si el bebé continúa de nalgas lo mejor para todos es una cesárea electiva, pero después de insistir me ha remitido al hospital de Walton Edge para una versión cefálica. Doug ha pospuesto su viaje a Canadá.

3 de enero: He pedido el traslado de mi historial médico. El especialista de Walton Edge ha estado encantador. Me ha dicho que vaya en cuanto tenga contracciones suaves y que entonces tomaremos la decisión.

9 de enero: El especialista ha dado la vuelta al bebé. Ha sido un poco incómodo, pero las contracciones se han acelera-

2. Véase recuadro p. 143.

do casi inmediatamente y Hannah ha nacido en cuatro horas. Me alegro de que haya sido un parto normal. ¡Es fabuloso!

Versión cefálica externa

Los estudios indican que dar la vuelta a un bebé en una posición transversal o de nalgas resulta eficaz en un 70 por ciento de los casos, con lo cual se reducen las cesáreas innecesarias. Tras una ecografía para determinar la posición exacta del bebé, el médico le manipula con suavidad a través de la pared abdominal de la madre. Normalmente se tarda alrededor de media hora y puede ser incómodo, pero no doloroso.

El éxito depende de la habilidad del médico, la cantidad de líquido amniótico y si ya has tenido un hijo; en ese caso es más probable que tengas los músculos abdominales más flexibles. La versión externa tiene más posibilidades de funcionar si se toca la cabeza del bebé con facilidad, no tiene el trasero encajado y tu útero está relajado (puede que te ofrezcan un relajante muscular), pero si el primer intento falla se puede intentar de nuevo.

En resumen

- La preparación previa es necesaria tanto para conseguir el parto que quieres como para cualquier otra situación importante de la vida.
- Reconoce tus valores y haz los cambios pertinentes para alcanzar tu objetivo.
- Espera que te traten como un igual. Si es necesario intenta ser más asertiva.
- La oposición puede hacer que te sientas muy vulnerable. Busca gente que te apoye.
- Las convicciones cambian con el tiempo en cualquier situación, y por lo tanto la flexibilidad es una buena cualidad.
- Si eres constante y tomas las medidas oportunas, todo acabará encajando. La gente te ayudará (véase «Páginas web», p. 253), pero nadie puede conseguir tu objetivo por ti.

GUÍA RÁPIDA: AFIRMA TUS DERECHOS

Cuando te sientas presionada te ayudará recordar algo que se olvida con facilidad: tus derechos humanos, que incluyen el derecho a:

- Plantear tus necesidades y establecer tus prioridades sin tener que justificarlas.
- Ser tratada con respeto como un ser humano igual que no es estúpido, ignorante o irresponsable.
- Expresar tus sentimientos, opiniones y valores. Si no coinciden con los de los demás es una cuestión de percepción, no de que estén bien o mal.
- Aceptar o rechazar cualquier procedimiento o tratamiento que te ofrezcan sin dar ninguna razón.
- Decir que no entiendes algo. Que una persona necesite más explicaciones no significa que sea estúpida.
- Pedir lo que quieras y cambiar de opinión en cualquier momento.
- Cometer errores. Que tomes una decisión errónea no significa que seas tonta; que no sigas un consejo no significa que seas egoísta o irresponsable.
- Dejar que los demás resuelvan sus problemas o temores.

GUÍA RÁPIDA: TÉCNICAS DE ASERTIVIDAD

La gente asertiva suele utilizar tres técnicas tradicionales:

Decide lo que quieres o sientes y exprésalo de una forma concreta y directa.
El estilo directo es perfectamente correcto cuando se utiliza de un modo amistoso y relajado, e ir directo al grano resulta muy eficaz. Las pistas que a ti te parecen evidentes pueden desconcertar a los demás; si te andas con rodeos la gente puede malinterpretar tus necesidades. Haz una petición clara e inequívoca al principio. Si añades comentarios provocados por la ansiedad como «No sé qué pensará de esto...» o «Quizá no sea posible en mi caso, pero...» debilitarás tu postura y confundirás a tu interlocutor.

Repite tu afirmación una y otra vez si es necesario.
Ser asertiva significa mantener tu confianza y no perder de vista tu objetivo aunque sientas alguna ansiedad. Si se desestiman tus deseos o inquietudes mantén la calma y sigue adelante. Cuando hayas dicho lo que quieres repítelo pacientemente aunque tu interlocutor plantee argumentos irrelevantes para intentar desviarte.

Contrarresta las respuestas que minen tu postura.
Si estás bien preparada y tienes los datos necesarios podrás afrontar una situación que de otro modo te puede intimidar. Contrarrestar las respuestas forma parte de cualquier conversación entre iguales, y de ese modo evitarás que te afecten los comentarios despectivos o negativos. Manteniendo la confianza y el diálogo a pesar de las desviaciones normalmente se encuentra la manera de sortear un obstáculo o una solución que satisfaga a todo el mundo.

Capítulo 6

Preparada para el parto

Dar a luz puede ser una experiencia abrumadora con toda la emoción y el miedo que conlleva. Pocas mujeres tienen un parto perfecto. La mayoría de los partos se encuentran en un término medio; suele ser más difícil que pelar un plátano pero no tan complicado como abrir una naranja.

No tienes que comportarte de acuerdo con las normas, ni esperar de ti misma más de lo que esperarías de otras personas: un buen parto no tiene nada que ver con el hecho de que se realice de forma natural o con tecnología; ni con que se sienta poco o mucho dolor. Depende en gran medida de lo que sea importante para ti y de que afrontes la experiencia de un modo que haga que te sientas capaz y positiva.

Cómo decidas prepararte para la llegada de tu hijo dependerá de cómo seas y del parto que quieras: puedes concentrarte en tu forma física, aprender técnicas de autoayuda para confiar más en tu cuerpo y utilizarlo mejor, diseñar un plan para el parto, elegir una pareja (véase «¿Quién estará en el parto?», p. 161), o centrarte en cuestiones prácticas que hagan que la vida sea más fácil en esa situación.

No hay ninguna garantía de que el parto sea fácil si te preparas bien: no puedes ser responsable de que un bebé se encuentre en una mala posición o de que una comadrona sea incapaz de ofrecer mucho apoyo práctico. Las circunstancias pueden y deberían modificar las decisiones, pero la planificación suele hacer que el parto sea más llevadero de lo que podría haber sido de otro modo.

Una mujer bien preparada puede afrontar este reto sabiendo que la mayoría de las decisiones que tome serán las adecuadas y que aceptará que la ayuden si es necesario sean cuales sean sus intenciones previas.

En los partos no sólo hay bebés. También debe haber madres fuertes y seguras de sí mismas, capaces de tomar sus propias decisiones y asumir la responsabilidad de criar a sus hijos.

Forma física

Si estás flexible y en forma habrá más posibilidades de que utilices bien tu cuerpo durante el parto y, por lo tanto, será menos probable que necesites una intervención. Si te practican una cesárea te resultará más fácil moverte y te recuperarás antes.

Los elementos básicos de la forma física son la fuerza, la flexibilidad y la energía. La fuerza y la flexibilidad te permitirán adoptar posturas que harán que el parto sea más fácil y menos doloroso; la energía te ayudará a continuar si tu parto es largo.

Puedes elevar tu nivel de energía dando un paseo rápido o nadando con regularidad durante el embarazo. Si normalmente no haces mucho ejercicio comienza despacio y ve aumentando el ritmo poco a poco hasta llegar a tres sesiones de veinte minutos a la semana. Para cualquier tipo de ejercicio es conveniente calentar antes y enfriar después; la regla de oro es escuchar a tu cuerpo. No tiene sentido hacer un esfuerzo excesivo que haga que te sientas agotada después.

Ten cuidado con las actividades que puedan aumentar la

temperatura corporal o tentarte a llegar demasiado lejos, como los deportes competitivos o el aeróbic. Y si empiezas con un nuevo tipo de ejercicio asegúrate de que la clase sea especial para mujeres embarazadas, o de que tu profesor sepa que estás embarazada y pueda darte los consejos oportunos. Si tienes alguna duda al respecto habla con tu médico o comadrona.

Flexibilidad

Practica estos ejercicios todos los días para reducir la rigidez y hacer más flexible la zona pélvica. Si sientes dolor en el pubis deja de hacerlos: tus ligamentos ya están lo suficientemente elásticos.

- **Gato:** Ponte a cuatro patas, inclina la pelvis hacia abajo como si estuvieras metiendo la cola y luego estira la espalda. Balancea la pelvis varias veces de esta manera y luego muévela de un lado a otro utilizando los músculos de la cintura. También puedes hacer este ejercicio de pie, con las rodillas rectas o un poco flexionadas.
- **Sastre:** para relajar los músculos de la parte interior de los muslos, siéntate en el suelo con la espalda derecha. Junta las plantas de los pies y pega los talones al cuerpo todo lo posible sin forzar la postura. Separa las rodillas y mantente así unos cuantos minutos.
- **Rana:** arrodíllate, siéntate sobre los talones y separa las rodillas todo lo que puedas. Luego relaja los hombros ensanchando la espalda, levántate desde la cintura e inclínate hacia delante desde las caderas hasta apoyar las manos en el suelo. Con la espalda derecha, mantén la postura durante unos minutos.

Utilizando tu cuerpo de una manera eficaz ahorrarás energía, evitarás tensiones y te ayudará si tienes una episiotomía, un parto asistido o una cesárea. Cuando camines o estés de pie, estira la columna vertebral, relaja los músculos del cuello e imagina que tu cabeza se balancea como una pelota de ping-pong sobre un chorro de agua. Si estás sentada utiliza los brazos para llevar el peso hacia el borde de la silla. Mantén la espalda derecha, oscila tu cuerpo hacia delante desde las caderas y levántate despacio sin torcer el cuerpo o hacer presión con las manos. Los movimientos deben ser suaves.

Para salir de la cama ponte de costado, siéntate utilizando los brazos y balanceando las piernas sobre el borde de la cama y levántate como si estuvieses sentada en una silla. Practica estos movimientos hasta que se conviertan en un hábito.

Reducción de los daños

El perineo es el tejido que rodea la entrada de la vagina, y está diseñado para estirarse y cambiar de forma cuando la cabeza del bebé lo presiona durante el parto. La zona entre la vagina y el ano es la más vulnerable, sobre todo si el bebé llega muy rápido o estás tumbada boca arriba y la gravedad ejerce más presión. Si tienes un parto asistido o el bebé tiene que nacer inmediatamente sin que el perineo se pueda dilatar despacio puede ser necesario hacer una episiotomía, un pequeño corte en ese tejido.

Normalmente las mujeres tienen una excelente capacidad de recuperación después del parto, y el perineo se suele curar rápidamente. No siempre es posible evitar una episiotomía o un desgarro, pero se puede reducir el riesgo de los daños:

- Prepara el tejido masajeándolo a diario después de la ducha o el baño desde la semana treinta y cuatro aproximadamente. Aplica vitamina E o aceite de germen de trigo (o cualquier aceite vegetal puro) sobre el tejido durante unos cinco minutos y luego estíralo suavemente con los pulgares hasta que notes una sensación ardiente. Pide a tu pareja que te ayude si te molesta el vientre. Al cabo de una semana o dos el tejido estará mucho más flexible.

- Durante el parto evita estar tumbada boca arriba para empujar. Aunque estés apoyada el efecto de la gravedad aumenta la presión sobre el perineo. Tumbada de costado, de rodillas o de pie se evita esta presión adicional, y en estas posturas suele haber menos estiramiento lateral del perineo.
- Dile a tu comadrona que para ti es importante mantener el perineo intacto (sin una episiotomía o un desgarro) y pídele que te ayude. Escucha si te pide que dejes de empujar para que pueda sacar la cabeza de tu bebé; jadea como un perro si es necesario.

La influencia de la mente

Para algunas mujeres un parto normal es una pesadilla, mientras que para otras un parto difícil es una experiencia positiva. La diferencia está en cómo lo enfoques. Hasta el final del embarazo hay muchas oportunidades para desarrollar un planteamiento positivo.

Cuando te imagines con dolores o siendo incapaz de afrontar el parto y sientas que el pánico aumenta puedes notar síntomas de ansiedad como la boca seca o un cosquilleo en el estómago. Estas sensaciones no están provocadas por el parto; están relacionadas con lo que crees que puede ocurrir. Lo que piensas influye en cómo te sientes.

Para tener el parto que quieren la mayoría de las mujeres necesitan controlar lo que piensan (véase «Controla tus pensamientos», p. 152). Algunas mujeres intentan eliminar el miedo ignorándolo. No leen nada y no hacen preguntas; se concentran en preparar la canastilla de su bebé en vez de ir a clases prenatales. La gente aprende enseguida a evitar los sentimientos in-

Controla tus pensamientos

- Afronta tus temores y acepta que toda experiencia tiene aspectos positivos y negativos. Intenta no magnificar los negativos o centrarte en lo que podría ocurrir.
- Toma el control, averigua qué opciones tienes y decide lo que prefieras.
- Comparte la responsabilidad de cómo vaya el parto en vez de responsabilizar por completo al médico o la comadrona o creer que todos los problemas son culpa tuya.
- Pide lo que necesites, sin tomarte una negativa de forma personal. No es probable que un incidente aislado se vuelva a repetir.
- No establezcas reglas sobre cómo deberías dar a luz para no sentirte culpable si las rompes y no enfadarte si lo hacen otras personas.
- Utiliza estrategias para animarte: escribe los nombres de las mujeres que conozcas que hayan tenido el tipo de parto que quieres y piensa: «Si ella ha podido hacerlo yo también»; anota lo que te haga sentir que eres capaz de afrontar la situación para que puedas revisarlo cuando se tambalee tu confianza; pega afirmaciones (véase recuadro de página siguiente) en las puertas de los armarios.
- Busca el término medio: un parto no es ni algo terrible ni algo maravilloso por completo; nadie es perfecto ni un fracaso absoluto.
- Concéntrate en todas las cosas positivas de dar a luz.

Afirmaciones

Las afirmaciones son frases que evocan cómo te sientes o te gustaría sentirte. Algunas mujeres escriben frases personales y las ponen por la casa para verlas durante las semanas previas al parto. Las afirmaciones pueden ayudar a cambiar los pensamiento negativos. Por ejemplo:

- Quiero tomar mis propias decisiones. No pasa nada por tener miedo a la responsabilidad.
- Puedo confiar en mis sentimientos. Afronto mis temores y soy valiente.
- Puedo dar a luz. La gente cercana (nombres) me ayudará.
- Sé qué hacer conmigo misma y con mi bebé.
- Estoy perfectamente capacitada para dar a luz. Mi cuerpo sabe qué hacer.
- Reconozco que tengo miedo, pero no voy a permitir que el miedo me controle.
- Mi bebé y yo estamos seguros me sienta como me sienta.
- La gente me escuchará cuando pida algo.
- Me permitiré recibir el cariño y el apoyo de los demás.
- El dolor no es un castigo.

cómodos, pero algunos miedos siguen saliendo a la superficie hasta que se hace frente a ellos.

Sea cual sea el tipo de parto que quieres acepta los inconvenientes que conlleve tu decisión. Por ejemplo, un parto largo no se puede acelerar en casa, y un parto natural puede ser más difícil de conseguir en algunos hospitales. Reúne todos los recursos que necesites para sentirte segura de ti misma y no depender totalmente de los demás.

Instinto e intuición

Una mujer que da a luz accede a la parte primitiva de su cerebro que controla el comportamiento instintivo. Elige las posturas de forma intuitiva y busca ayuda si necesita moverse. Puede agarrarse a una mano o rechazarla con impaciencia; puede estar en silencio o hacer mucho ruido. Cuando las contracciones son fuertes puede parecer que no se da cuenta de que los demás están allí, o puede perder la confianza y necesitar que la animen. Hay muchas maneras de hacer frente a un parto.

El comportamiento instintivo está relacionado con el lóbulo derecho del cerebro, que influye en la creatividad y la imaginación. El pensamiento lógico y el razonamiento intelectual están relacionados con la parte izquierda del cerebro. En respuesta a la tensión el cuerpo libera cortisol, la hormona que ayuda a cambiar el control del lóbulo izquierdo al derecho, bloqueando el pensamiento lógico para que puedas actuar con rapidez y decisión. El cortisol se segrega durante el parto (véase «Hormonas del parto», p. 49).

Si vas conduciendo y hay una situación complicada te resultará confuso que alguien te dé instrucciones porque te preocuparás por lo que te diga en vez de actuar de forma instintiva. De la misma manera, que una comadrona haga preguntas o realice exploraciones internas o que tu pareja te dé instrucciones innecesarias te impedirá utilizar tu intuición durante el parto.

El lóbulo izquierdo del cerebro distingue las partes de un todo y el derecho integra las partes en el todo; en otras palabras, la parte izquierda del cerebro ve cada árbol mientras la derecha ve todo el bosque. Si tomas decisiones racionales sobre las posturas que deberías adoptar o te comportas según las normas establecidas durante el parto verás los árboles individuales, pero perderás la visión del bosque. Al pasar el control a la parte izquierda del cerebro se bloquea tu conocimiento intuitivo.

El instinto y la intuición están estrechamente relacionados, y la continuidad de la atención hace que resulte más fácil utilizar estos recursos (véase «La sabiduría natural de las mujeres», p. 35). No es necesario que te sientas cercana a una persona emocionalmente para sintonizar con ella, pero para usar la intuición hay que establecer una relación. Si la comadrona te conoce, por ejemplo, no será necesario que se ciña tanto a un libro de texto o un procedimiento estricto.

Si estás bien preparada para el parto sabrás de forma intuitiva qué hacer en ese momento y podrás confiar en tus instintos. Las técnicas para dar a luz te ayudarán a tener el parto que quieres proporcionándote conocimientos, no una serie de normas.

Cómo desarrollar la intuición

No es necesario buscar la intuición verdadera. Llegará en las circunstancias adecuadas si tienes la mente preparada. Cuanto más confirmen tus conocimientos externos tu intuición más fácil te resultará confiar en la señal o el sentimiento que la acompañen.

- Necesitas sentirte segura. No puedes utilizar tus instintos si alguien te está echando el aliento en el cuello o juzgando lo que haces, o si te sientes incapaz de expresarte de una manera responsable.
- Necesitas estar segura de tu preparación, mantener la calma y una buena disposición (pasando el control a la parte derecha del cerebro) y confiar en que sabrás qué hacer en ese momento.
- Tienes que estar dispuesta a permitir que ocurra, como un pajarito que salta del nido y confía en que sabe volar.

Técnicas para dar a luz

Tu experiencia del parto será más llevadera si te sientes relajada y segura. Las estrategias para afrontar el parto reducen la tensión, evitan el pánico y ayudan a depender menos de los medicamentos durante el parto o en el postoperatorio. Puedes aprender algunas de estas técnicas en las clases preparatorias (véase «Elección de las clases prenatales», p. 159).

Las técnicas para aliviar el dolor incluyen métodos que puedes utilizar en tu vida diaria; por ejemplo aplicar calor o masajear una zona que duela para bloquear las fibras nerviosas que transmiten los mensajes de dolor al cerebro, o centrarte en otra cosa para bombardear las fibras nerviosas con mensajes alternativos. Estas técnicas no tienen efectos secundarios y se pueden utilizar por separado o combinadas. Para mantener el alivio pasa de una técnica a otra cuando el efecto desaparezca.

No puedes saber con antelación qué técnicas necesitarás exactamente, así que procura adquirir las que *podrías* necesitar y practícalas hasta que formen parte de ti. Te ayudarán a dar a luz lo más cómodamente posible y algunas pueden llegar a ser indispensables.

Relajación

La tensión hace que el dolor sea menos tolerable y afecta a la respiración. Si te entra el pánico tu cuerpo se pone tenso, tu respiración se acelera y puedes respirar en exceso o hiperventilarte. Esto hace que te sientas mareada y sin control, una sensación angustiosa que puede provocar más pánico.

Para no llegar a este estado relájate cuando sientas dolor en vez de asustarte. Tu útero funcionará mejor y tu cuerpo liberará endorfinas y encefalinas, las hormonas que ayudan a aliviar el dolor de forma natural. Cuando estás tensa quedan inhibidas por las hormonas del estrés.

Un planteamiento seguro y tranquilo del parto te ayudará a

relajarte, y una de las claves para mantenerse relajada es ser capaz de detectar la tensión y liberarla conscientemente. La mayoría de las mujeres tienen un punto débil, normalmente las manos, los hombros o la mandíbula, donde aparece la tensión una y otra vez, así que se concentran en mantener ese punto relajado.

Durante el parto es posible que necesites revisar la cara, los hombros y las manos al principio y al final de cada contracción para que las tensiones no se acumulen sin que te des cuenta. Practica estos movimientos y sigue revisando esos puntos a lo largo del día hasta que puedas reconocer y eliminar el mínimo grado de tensión:

- Baja los hombros y luego suéltalos.
- Aprieta los puños y luego afloja los dedos.
- Tensa la mandíbula y luego deja que se relaje toda la cara.

Respiración

La respiración y la relajación van unidas: cambiando una cambia la otra. Si te relajas completamente respirarás con suavidad y sin ningún esfuerzo.

La intensidad de las contracciones del parto puede «dejarte sin aliento», una sensación que hace que el cuerpo se tense de forma involuntaria. Si la respiración es rápida y entrecortada es muy probable que la cara, las manos y los hombros estén tensos, lo cual puede convertirse en pánico rápidamente. Esto se puede evitar calmando deliberadamente la respiración.

Intenta reducir un poco el ritmo de la respiración poniendo el énfasis en la expulsión del aire. Cuando te sientas cómoda con este ritmo alarga un poco la expulsión y observa cómo sube y baja el abdomen. No es necesario que te apresures: cuando hayas soltado todo el aire habrá una pausa momentánea y tus pulmones se hincharán sin ningún esfuerzo. Intenta hacer otra pequeña pausa después de inspirar, pero sin contener la respiración.

Durante el parto expulsa bien el aire al principio y al final de cada contracción. Comprueba cómo tienes la cara, las manos y los hombros para liberar cualquier tensión. Mantén la respiración lenta y pausada, concentrándote en la expulsión y en la breve pausa.

Concentración

En una fiesta la mayoría de la gente no se da cuenta de un dolor de cabeza que podría inquietarles en el trabajo; concentrarse por completo en algo elimina las preocupaciones. Esta estrategia puede ser sorprendentemente eficaz durante el parto. Experimenta hasta que encuentres imágenes visuales relajantes. Los tres últimos ejemplos que se incluyen a continuación pueden ayudarte si el dolor es muy intenso y necesitas concentrarte en algo sencillo o mecánico:

- Piensa en un chorro de energía bañado de una luz blanca, o en una ola inmensa que remontas sobre una tabla de surf hasta que llega a la playa; o, cuando comience cada contracción, imagina que te sumerges en una piscina profunda y que subes despacio a la superficie mientras va perdiendo intensidad.
- Imagina un balón de playa rojo que contiene tu dolor. Siente cómo se desvanece el dolor a medida que se desinfla lentamente.
- Estás tumbada en una playa bajo el sol. Las olas te cubren y al retroceder se llevan con ellas las tensiones. Algunas hacen que tu cuerpo flote unos instantes antes de volver hacia el mar.
- Piensa en una flor que se abre pétalo a pétalo, una paloma que se va volando, una piedra que forma ondas circulares al caer en un estanque de aguas tranquilas.
- Fija tu atención en un reloj contando lentamente los segundos; cuenta las tejas de un tejado, las láminas de una persiana veneciana o el dibujo de unas cortinas o una colcha.

- Concéntrate en un cuadro o en un objeto (si estás en casa va bien la llama de una vela) durante cada contracción. Observa atentamente las formas y los colores.
- Con unos auriculares, sube el volumen del estéreo para que el sonido llene tu mente durante las contracciones.

Tacto y temperatura

La mayoría de la gente ha utilizado masajes para calmar un dolor en algún momento, o una bolsa de agua caliente o un bloque de hielo para aliviar los dolores. En las primeras fases del parto los masajes pueden ayudarte a olvidarte de las contracciones. Dile a tu pareja que te dé diferentes tipos de masaje en la cara, los hombros o los pies hasta que descubras qué te ayuda a relajarte. Prueba con un masajeador de madera para la espalda; o mete dos pelotas de tenis en un calcetín y pásalas por la espalda de arriba abajo.

Los masajes suaves alrededor del vientre pueden relajar la tensión superficial y calmar el dolor. Y una presión firme en la parte inferior de la espalda ayuda a aliviar el dolor de espalda.

Una compresa fría o caliente puede reducir el dolor cambiando la temperatura. Envuelve una bolsa de agua caliente o un bloque de hielo en una toalla antes de aplicarlos. Tu cuerpo se acostumbrará a las nuevas sensaciones al cabo de un rato y los mensajes de dolor reaparecerán, así que alterna los cambios de temperatura con los masajes para mantener la sensación de alivio.

Elección de las clases prenatales

Las clases prenatales varían en la duración, el enfoque y los temas que se tratan. Algunas están basadas en el diálogo y se centran en los aspectos prácticos del parto y el cuidado del bebé; otras son más formales, con charlas sobre diferentes temas impartidas por una comadrona, un experto en salud o un fisioterapeuta. En algunas clases te hablarán de las opciones que tienes y de cómo puedes ayudarte a ti misma; en otras te dirán lo que se espera de ti en el hospital.

Las clases impartidas por las comadronas del servicio de salud son gratuitas. Algunas asociaciones especializadas cobran una cuota, pero suelen centrarse en técnicas de autoayuda como los masajes y las posturas para el parto.

Tu comadrona puede informarte sobre las clases que haya en tu zona, o puedes buscar clases privadas en el tablón de anuncios del hospital. Muchas mujeres encuentran la clase más adecuada para ellas preguntando a sus amigas o vecinas.

- Puedes conocer a mujeres que vivan cerca en una clase impartida por tu comadrona local; y a mujeres que estén en tu onda en una clase más distante que te recomiende una amiga. Si esperas conocer a otras mujeres embarazadas y hacer amistades pregunta a la monitora con cuánta frecuencia se relaciona la gente de sus grupos.
- Una clase pequeña te puede ir mejor si quieres hacer preguntas y hablar del parto, pero si prefieres integrarte en un grupo busca una clase grande de carácter más teórico.
- Si tienes una discapacidad asegúrate de que la clase se ajuste a tus necesidades.
- Si estás sola quizá prefieras un grupo en el que sólo haya mujeres; pero es posible que tu madre o una amiga puedan acompañarte a un cursillo para parejas.
- Las clases pequeñas se llenan enseguida; piensa con antelación si prefieres un grupo pequeño.
- Intenta buscar una clase en la que se trate a los hombres como iguales si tu marido quiere participar en ella. En algunas clases se trata a los hombres como espectadores.
- Si quieres un parto natural pregunta si hablarán de enfoques alternativos y tácnicas de autoayuda. En algunas clases se da por supuesto que todo el mundo quiere una epidural.

¿Quién estará en el parto?

Una buena pareja de parto es un esclavo dispuesto a hacer lo que sea necesario para que te sientas cómoda. En un parto en casa puede estar cualquiera, incluidos los abuelos, los niños o la mascota de la familia; y puedes hacer cosas para mantenerte ocupada y olvidarte de las contracciones. En un hospital no hay muchas distracciones aparte de pasearse por la habitación o por los pasillos, así que la compañía adecuada puede ser muy importante.

Si tu pareja quiere estar allí intenta asistir a unas clases prenatales en las que le expliquen qué puede esperar y cómo puede ayudarte. La sensibilidad y el cariño son más importantes que la habilidad para dar masajes, pero un buen apoyo en el momento oportuno puede aumentar tu umbral del dolor y ayudarte a afrontar la situación. Para algunas mujeres enfrentarse a las contracciones es una experiencia muy solitaria sin un acompañante; la mayoría necesita mucho apoyo, pero aunque tu pareja se limite a estar a tu lado agradecerás su presencia.

Hace cuarenta años un padre tenía dificultades si quería ver nacer a su hijo. Hoy en día tiene las mismas dificultades para evitarlo, pero el parto no es un deporte para espectadores ni el papel de pareja de parto se adapta a todos los hombres. A algunos les preocupa no ser capaces de ayudar, y a algunas mujeres les da miedo que su pareja se quede traumatizada con lo que vea y pueda mirarlas de una forma diferente después. Algunas mujeres temen que su pareja asuma el control y les diga lo que tienen que hacer, y que al intentar seguir sus instrucciones puedan acabar confundidas.

Que la presencia de tu pareja en el parto resulte adecuada dependerá de cómo sea vuestra relación. El hecho de que no queráis estar juntos en el parto no refleja la solidez de vuestra relación ni la capacidad de tu pareja para ser padre.

Una pareja de parto debe proporcionar un buen apoyo. Tu acompañante puede ser una amiga o un familiar, y tener más de una pareja puede resultar muy útil si uno de los dos tiene dudas o el parto es muy largo.

Si no tienes familiares o amigos que vivan cerca para ayudarte puedes contratar a una niñera (véase «Páginas web», p. 253). Las niñeras proporcionan compañía y ayuda práctica a las madres y están formadas para actuar como pareja de parto.

Niños en el parto

En un parto en casa no suele haber oposición a que haya niños por allí, y en un centro maternal pequeño pueden permitir que lleves a tu hijo mayor. No obstante, habla con tu comadrona lo antes posible; puede que necesite acostumbrarse a la idea, y tú querrás que el niño se sienta bien recibido.

Si los niños no son muy mayores busca a alguien para que se ocupe de ellos. Si te pones de parto por la noche puede que estén dormidos, o que durante el día no haya nada muy interesante y no quieran ver contracciones durante mucho tiempo.

Los niños pequeños suelen tomarse el parto con normalidad siempre que tú estés tranquila, pero se preocupan si no puedes hablar con ellos durante las contracciones. Los que ya tienen edad para entenderlo necesitan una preparación cuidadosa y alguien que les explique las cosas y les tranquilice. Necesitan saber que puedes estar de mal humor o hacer ruidos y que es posible que no puedan estar presentes si hay algún problema. Los niños en edad escolar suelen preocuparse por cosas prácticas, como quién les preparará la merienda o su equipo de gimnasia; pero algunos disfrutan dedicando parte del tiempo a hacer una tarta para celebrar la llegada del bebé.

Los adolescentes suelen sentirse responsables y protectores. Necesitan saber que no dependes de ellos y que pueden quedarse o no dependiendo de lo que les parezca adecuado en ese momento.

Estar presente cuando nace un hermanito puede ser una experiencia muy especial para un niño, pero cuanto más mayores son más les puede afectar. Planifícalo todo con cuidado para que su primera experiencia del parto sea positiva.

Planes de parto

Un plan de parto establece tus preferencias para que pueda ayudarte la gente a la que quizá no hayas visto nunca. Si conoces a la comadrona que te atenderá puedes hablar del parto con ella; si no es así escribe todo lo que sea importante para ti en una carta y adjúntala a tu expediente o dásela al personal cuando ingreses en el hospital.

Es posible que no lean varias páginas de instrucciones, así que indica el enfoque que prefieras y cualquier detalle que sea importante para ti (véase «Opciones de parto», en esta página). Redacta la carta con cuidado; si pones por escrito que no quieres una epidural no te la pondrán aunque cambies de opinión.

Quizá te interese hablar de tus opciones y de las implicaciones con tu comadrona antes de elaborar el plan de parto. Si te planteas en serio el parto y todas las opciones podrás ser más realista y más flexible.

Opciones de parto

- ¿Querrías que se acelerara un parto largo? ¿Preferirías que te monitorizaran con electrodos? (Véase «Guía rápida: Asistencia en el parto», p. 118.)
- ¿Qué prefieres para el dolor? (Véase «Guía rápida: Otros métodos para aliviar el dolor», pp. 91-92.)
- ¿Te gustaría comer o beber si te apetece? ¿Quieres que te den apoyo e ideas prácticas para ayudarte a evitar los medicamentos?

- ¿Quieres un parto «activo» en el que puedas moverte con libertad y elegir las posturas?
- ¿Quieres empujar en una postura vertical, dar a luz de pie o tumbada de costado o que te ayuden a evitar una episiotomía o un desgarro?
- ¿Es importante para ti evitar las exploraciones internas rutinarias?
- ¿Te gustaría tener más de una pareja de parto o que los miembros de tu familia estén presentes cuando nazca tu bebé o poco después?
- ¿Es importante para ti que la gente utilice tu nombre en vez de «querida», o que respeten tu privacidad y llamen a la puerta antes de entrar en la habitación?
- ¿Te apetece tener un parto «tranquilo», con un ambiente relajado, las luces bajas y sin ruidos innecesarios cuando nazca tu bebé?
- ¿Quieres que te den a tu bebé inmediatamente o que lo limpien y lo envuelvan antes? ¿Quieres que te digan el sexo de tu bebé o prefieres descubrirlo tú misma?
- ¿Cómo quieres que corten el cordón umbilical y saquen la placenta?
- ¿Te importa que haya estudiantes durante el parto? Si tu parto no es normal, ¿te importa que haya público? ¿Quieres que sólo esté allí el personal imprescindible?
- Si te administran anestesia general para un parto con cesárea, ¿quieres que alguien saque fotos y grabe el primer llanto de tu bebé si es posible, o que te describan el parto después? ¿Quieres dar pecho a tu hijo en cuanto puedas?
- ¿Te gustaría que alguien te hablara durante una cesárea con epidural, o prefieres escuchar música con unos auriculares? ¿Quieres que bajen la pantalla para ver cómo nace tu bebé?

Todo a punto

Alrededor del último mes la mayoría de las mujeres sienten la urgencia de tenerlo todo preparado para cuando empiecen las contracciones fuertes. Cuando acabes con los preparativos finales podrás estar tranquila sabiendo que has hecho todo lo posible para asegurarte de que tendrás el parto que quieres.

Hospital o centro maternal

Si vas a tener a tu bebé fuera de casa conviene que prepares la bolsa unas cuatro semanas antes de salir de cuentas por si acaso se adelanta el parto. Te darán una lista de las cosas que debes llevar, como toallitas higiénicas, compresas, ropa de bebé y pañales.

Aunque pienses parir en casa, asegúrate de que tienes gasolina suficiente para ir al hospital y de que tu pareja de parto sepa cómo llegar, por qué puerta se entra por la noche y cómo se accede al aparcamiento.

Parto en casa

Tu comadrona llevará todo lo necesario, incluido el entonox, y te dirá si necesita que le proporciones algo, por ejemplo una superficie plana para su equipo, una linterna o un calefactor. Si crees que puedes necesitar petidina, pídele a tu médico de cabecera una receta y guárdala en el frigorífico hasta que haga falta.

En un parto en casa no se suele ensuciar mucho, pero quizá quieras proteger el colchón o la alfombra con láminas de plástico, sobre todo para un parto en el agua.

Puedes preparar bulbos, flores u hojas de otoño para adornar el cuarto de baño o la habitación, o encender velas durante el parto. A algunas mujeres les gusta perfumar la estancia con aceites esenciales, pero a algunas comadronas les resulta abrumador. Es posible que quieras preparar algunas cosas para estar más cómoda (véase «Cosas útiles para el parto», p. 166) y hacer tentempiés para tu pareja de parto y tu comadrona. Los refrigerios especiales contribuyen a crear un ambiente animado.

Parto en el agua

Si vas a tener un parto en el agua en casa, o quieres asegurarte de que lo tendrás en el hospital, necesitarás alquilar una piscina (véase «Cómo preparar un parto en el agua», p. 112). En casa colócala sobre un suelo resistente (los de piedra o cemento son perfectos). Si el parto va a tener lugar en el piso de arriba procura ponerla sobre un tabique de carga. Algunos ponen una tarima de madera gruesa sobre las vigas para ayudar a repartir el peso.

Normalmente hay bastante tiempo para instalar una piscina antes del parto; se montan con facilidad aunque no se te dé muy bien el bricolaje. En el hospital se tarda unos veinte minutos en llenarla. En casa dependerá del tiempo que se necesite para calentar el agua. Pon el calentador al máximo y tapa la piscina mientras la vayas llenando.

Si la piscina tiene el fondo duro puedes poner un edredón viejo debajo para acolchar el suelo o colocar un cojín grande de plástico en la piscina antes de llenarla para apoyarte en él. Un taburete de plástico puede resultar muy útil para entrar y salir del agua o sentarse en la piscina, y una pelota de goma puede ser un buen asiento para tu pareja o la comadrona.

Cosas útiles para el parto

Dondequiera que des a luz, te resultará más fácil afrontar la situación si no tienes demasiado frío o calor y tienes cosas para comer y pasar el tiempo.

- **Bienestar general:** una almohada para la espalda en forma de «V»; un cojín grande de plástico; una pelota hinchable de 65 cm para sentarse o apoyarse (más cómoda que un cojín); un reproductor de música con auriculares; cintas o CD; juegos, libros y otros pasatiempos; cámara de fotos o vídeo; bolsa de agua caliente para hacer una compresa fría o caliente; un cubo (acolcha el borde con una toalla gruesa) para sentarse en él si la presión inferior resulta incómoda; un cuadro o flores para concentrarse; aceites de aromaterapia; calcetines para los pies fríos.

- **Refrigerios:** latas de zumo en una nevera portátil (para beber o aplicar presión para el dolor de espalda); cubitos de hielo para enfriar las bebidas o hacer compresas de hielo; galletas, mermeladas o yogures para la energía; agua mineral o con sabor a frutas; bolsitas de infusiones; sándwiches y tentempiés para tu pareja de parto.
- **Para la boca seca:** sorbos de agua; una esponja natural pequeña para humedecer los labios; bálsamo labial; helados con sabor a frutas (envueltos en papel de aluminio para viajar).
- **Para estar fresca:** una camiseta holgada, una camisa de algodón o un camisón (un cambio es refrescante); un abanico de papel; agua mineral o un pulverizador de agua; vaporizadores faciales.
- **Para el dolor de espalda:** talco o aceite para masajes; una bolsa de agua caliente para una compresa fría o caliente; una bolsa de gel deportivo congelado; un masajeador de madera para la espalda.
- **Para un parto en el agua:** una toalla de baño o un albornoz; camisetas secas; sujetadores o tops para la piscina si quieres; un aro de goma o una almohada de espuma cubierta con polietileno para apoyarte; un traje de baño para tu pareja si quiere entrar en la piscina; un colador pequeño para quitar la suciedad si es necesario.

Cuenta atrás

Es posible que quieras hacer planes con antelación para que la vida te resulte más fácil durante los dos o tres últimos meses del embarazo. Las últimas semanas pueden ser agotadoras, así que no estés nunca de pie si puedes sentarte, ni te sientes si puedes tumbarte; y no rechaces nunca una oferta de ayuda.

32-34 semanas

- Compra detergente o comida para tus mascotas en grandes cantidades para reducir las compras.
- Llena el congelador y los armarios con cosas básicas para hacer comidas sencillas; compra galletas para las visitas y jabones si tus familiares van a quedarse en casa.
- Comprueba qué tienes que hacer para alquilar una piscina o una máquina de estimulación transcutánea o para contratar a una niñera o una enfermera maternal.
- Comienza a darte masajes en el perineo con vitamina E o aceite de germen de trigo (véase p. 150).
- No importa dónde vayas a dar a luz, asegúrate de que tu pareja sepa dónde aparcar en el hospital y por qué puerta se entra por la noche para que tenga menos presión.

34-36 semanas

- Si es tu primer parto comienza a utilizar las posturas básicas (véanse «Guías rápidas: Terapias complementarias para dar la vuelta a un bebé y Ayuda a tu bebé a adoptar una buena posición», pp. 65 y 66-67).
- Si tu bebé se encuentra en una posición difícil habla de la versión cefálica externa (véase p. 143) con el especialista.
- Descansa después de comer y haz ejercicios de respiración y relajación todos los días.

- Protege el colchón con un plástico o una cortina de ducha vieja por si acaso rompes aguas en la cama.
- Decide quién va a cuidar a tus otros hijos el día del parto.
- Compra sellos, tarjetas para anunciar el nacimiento del bebé y notas para agradecer los regalos a medida que lleguen.
- Si te van a hacer una cesárea asegúrate de que después tendrás la ayuda necesaria.

36-38 semanas

- Vuelve a llenar el congelador y los armarios si has consumido parte de lo que tenías.
- Asegúrate de que tienes pilas para la grabadora y película para la cámara de fotos.
- Reúne todo lo que necesites para sentirte cómoda en el parto. Prepara la bolsa del hospital.
- Si es tu segundo o tercer parto comienza a utilizar las posturas básicas.
- Si tu hijo mayor se va a quedar con alguien mientras tú estés en el hospital prepara una bolsa para él. Escribe un diario de la rutina de tu hijo para ayudar a quien vaya a cuidarle.
- Después de una cesárea te quedarás sin energía antes de lo que imaginas. Ten ropa para cambiar al bebé arriba y abajo para evitar subir escaleras.

38-40 semanas

- Saca cintas de cuentos y vídeos nuevos de la biblioteca para que tu hijo esté entretenido alrededor de una hora todos los días mientras tú pones los pies en alto.
- Busca a alguien que dé de comer a tus mascotas mientras estés de parto.
- Graba un mensaje en el contestador para dar la noticia de que has tenido un bebé. Pide a la gente que vaya a verte a

partir de las tres de la tarde para evitar que haya visitas a todas horas.

- Planifica alguna excursión para después de salir de cuentas para que tengas algo que hacer si el parto se retrasa unos días.
- Haz una nota de todo el mundo que se ofrezca a ayudarte: puedes pedir ayuda a cinco personas una o dos veces, pero quizá no quieras llamar a una persona diez veces.
- Otras cosas que deberías recordar...

En resumen

- No hay nada que garantice que el parto saldrá como quieres, pero una buena preparación hace que la mayoría de las situaciones se controlen mejor.
- Si estás flexible y en forma podrás utilizar bien tu cuerpo durante el parto; también te recuperarás con más rapidez, sobre todo después de una cesárea.
- Lo que piensas influye en cómo te sientes. La mayoría de las mujeres necesitan adoptar un actitud mental positiva para tener el parto que quieren.
- Las técnicas para dar a luz proporcionan conocimientos para afrontar el parto, no una serie de normas.
- Si estás bien preparada es más probable que te sientas segura y relajada y que sepas de forma intuitiva qué hacer en ese momento.
- Antes de elaborar un plan de parto piensa en tus opciones y en tus necesidades personales para poder ser más realista y flexible.

GUÍA RÁPIDA: PARA LAS PAREJAS DE PARTO

Habla con la madre con antelación de lo que prefiera para que pueda confiar en ti para tomar la decisión final. Debes estar ahí para ella y apoyarla en todo momento aunque se enfade.

- En las primeras fases del parto intenta que se le pase el tiempo y mantenga el ánimo. Crea un ambiente alegre y relajado aunque haya ansiedad.
- Adáptate a sus necesidades ofreciéndole ayuda o manteniéndote al margen según convenga. Acepta y comprende que pueda rechazar tus esfuerzos.
- Actúa como portavoz suyo ante el personal, pero sé razonable si cambia de opinión en algo.
- Mantente callado durante las contracciones. Si le hablas accederá a su pensamiento lógico y racional para intentar escuchar o responder.
- Recuérdale que sabe qué hacer para ella y para su bebé; dile que estarás allí y que aunque tenga miedo está segura.
- Habla de lo que haga que parezca funcionar. Eso es más útil que la compasión.
- Recuérdale que respire lentamente, poniendo el énfasis en la expulsión, y que relaje las manos, los hombros y la mandíbula. Acarícíale el pelo o la mano y dale masajes en la espalda o los pies a no ser que indique que no quiere que la toquen.
- Dale algo para que se concentre durante las contracciones fuertes; cuenta despacio o describe un lugar que os guste a los dos.
- Abrázala o deja que se apoye en ti, cambiando de postura cuando se pase la contracción. Si estás sosteniendo su peso protege tu espalda: mantenla derecha, dobla un poco las rodillas y utiliza los músculos de los muslos.
- Si quería un parto natural pero es necesaria una intervención felicítala y reconfórtala después. Incluso después de un parto sencillo las mujeres necesitan escuchar que lo han hecho bien.

1
2
3
4
5
6

GUÍA RÁPIDA: POSTURAS PARA EL PARTO

Si quieres un parto activo, prueba estas posturas durante el embarazo para ver en cuál puedes relajarte:

1. Arrodíllate sobre algo blando, por ejemplo una almohada, con las rodillas separadas. Apóyate en una cama, una silla, un cojín grande, una pelota de goma o tu pareja.
2. Separa las rodillas para hacer sitio para el vientre e inclínate hacia delante apoyándote en las manos.
3. Siéntate en una silla baja enfrente de tu pareja y estira los brazos alrededor de su cuello.
4. Acolcha el borde de un cubo con una toalla y siéntate en él para aliviar la presión inferior.
5. Siéntate sobre una pelota de goma y gira la pelvis o da botes suaves.
6. Anda despacio apoyándote en tu pareja, una pared o un mueble cuando empiecen las contracciones.

En cualquier postura, gira la pelvis o mueve el cuerpo despacio y rítmicamente de un lado a otro, adelante y atrás o en círculo.

Si acabas en la cama boca arriba con las rodillas hacia los lados después de una exploración interna, tu pareja puede ayudarte a cambiar de postura de esta manera: con los pies en los bordes exteriores, desliza un pie hacia el trasero bajando esa rodilla a la cama. Apoyándote en las manos, inclínate hacia delante hasta poner el cuerpo sobre la rodilla y luego arrodíllate. Cuando estés sobre las dos rodillas frente al borde de la cama puedes poner los brazos alrededor del cuello de tu pareja para apoyarte o darte la vuelta para tumbarte en la cama.

GUÍA RÁPIDA: POSTURAS PARA DAR A LUZ

Las posturas verticales facilitan la ayuda de la gravedad y contrarrestan la presión exterior para evitar desgarros. Cuando tu bebé asome la cabeza es posible que adoptes de forma instintiva una postura horizontal. Experimenta con tu pareja de parto para buscar posturas prácticas.

1. Ponte en cuclillas entre las piernas de tu pareja mientras él se sienta en una silla; apóyate en su regazo con los brazos sobre sus rodillas.
2. Ponte en cuclillas en la cama con tu pareja y una comadrona a cada lado con un brazo alrededor de tu espalda para sostenerte. Pon los brazos alrededor de su cuello.
3. Agáchate un poco apoyándote como antes, pero sobre una colchoneta o una sábana colocada en el suelo.
4. Arrodíllate y apóyate en tu pareja, la cama o un montón de cojines.
5. De pie, apoyándote en tu pareja con sus brazos por debajo de tus axilas para sujetarte y las manos agarradas a las tuyas para aliviar la presión.
6. Túmbate de costado mientras tu pareja sujeta la pierna superior durante una contracción.

Si te dan una epidural es posible que puedas ponerte de costado con ayuda.

1
2
3
4
5
6

Capítulo 7

El día del parto

Sea cual sea tu perspectiva, el día del nacimiento de tu hijo es una ocasión especial.

¿Es el parto un reto para disfrutar o una prueba que hay que soportar, una experiencia meramente física o con un elemento espiritual? Quizá creas que tener un bebé sano es ya un resultado bastante satisfactorio, o que en la experiencia del parto hay algo más.

Si es tu primer hijo, o la primera vez que das a luz de este modo, afronta el parto con optimismo y respeto, esperando aprender de la experiencia. No tienes que complacer a nadie ni seguir una ruta convencional. Tener el parto que quieres no significa que debas hacer las cosas de una manera determinada, ni que después de tomar las decisiones iniciales las cosas saldrán como esperabas.

La gente que hace las cosas perfectas suele tener mucha práctica. Si tus miras son muy altas puede que la experiencia no esté a la altura de las expectativas, y si no crees que mereces un buen parto puedes sabotear tus posibilidades cuando llegue el momento. Debes creer en ti misma para ayudar a los demás a creer en ti.

Como hacer el amor, dar a luz es posible más o menos en

cualquier sitio, pero sin duda alguna resulta más fácil en unas situaciones que en otras. Las contracciones están controladas por las mismas hormonas que son responsables del orgasmo, y se inhiben con la misma facilidad con las preocupaciones o la ansiedad. Las endorfinas, los calmantes naturales del cuerpo, sólo pueden aliviar el dolor si estás lo suficientemente relajada para que fluyan bien.

El parto será más fácil si te encuentras en un lugar en el que te sientas segura y puedas parir de la manera más adecuada para ti, con el apoyo de tu pareja y una comadrona a la que conozcas y en la que confíes. Si algo no funciona relájate y busca otra cosa que te vaya mejor.

Tendrás más posibilidades de tener el parto que quieres si estás bien preparada, confías en tu instinto y tomas decisiones personales basadas en el autoconocimiento; pero salga como salga es el nacimiento de tu hijo. Disfruta de la experiencia.

Pautas del parto

El parto se compone de una obertura y tres movimientos o fases relacionadas. Antes de comenzar, el cérvix o cuello del útero, que está cerrado durante el embarazo, se abre hasta formar parte del cuerpo principal del útero. Las contracciones pueden ser intermitentes durante varios días o aumentar gradualmente en unas horas.

En la primera fase del parto el útero se contrae cada vez con más fuerza para que el cérvix se dilate y tu bebé pueda pasar por él. Hasta cierto punto en esto influye el tipo de cuerpo: puedes ser una esprinter natural capaz de producir mucha energía en poco tiempo o tener la energía mejor adaptada para correr una maratón.

Cuando comienza el parto, un útero rápido acaba con el trabajo en pocas horas, aunque las contracciones pueden ser tan intensas que quizá te sientas arrastrada como un barco pequeño en un torrente de aguas turbulentas. Si el útero tiene mucha energía las contracciones suelen ser más suaves, pero a veces son demasiado largas. Este tipo de parto puede ser divertido al principio y emocionante al final, pero resulta duro cuando se instala el cansancio; exige un esfuerzo físico y emocional similar al que hace falta para una maratón.

Cuando el cérvix está completamente dilatado comienza la segunda fase del parto: empujar para que tu bebé salga a través del canal del parto. Para algunas mujeres esto supone un gran esfuerzo; para otras es indoloro y satisfactorio, porque sienten que su cuerpo hace la mayor parte del trabajo. La tercera fase, la expulsión de la placenta, completa el parto.

En el desarrollo del parto influye el tipo de cuerpo, pero también la posición del bebé y si estás tensa o relajada. Si tu bebé se encuentra en una posición difícil el parto puede durar más mientras se da la vuelta con las contracciones para adoptar una posición mejor; si estás ansiosa o estresada por alguna razón a tus hormonas les puede costar más asentarse y dejar de inhibir las contracciones eficaces.

La mejor manera de hacer que el parto sea más fácil es mantenerte relajada para que tu útero pueda funcionar con la mayor eficacia posible para parir a tu bebé.

Fuera de cuentas

Planifica actividades para después de salir de cuentas para que tengas algo en qué pensar en vez de estar sentada esperando a que lleguen las contracciones.

Algunas mujeres utilizan métodos tradicionales para que comience el parto, pero sólo suelen funcionar si el cérvix está blando y preparado para el parto. Si quieres utilizar terapias complementarias consulta a un médico cualificado.

Cosas que puedes probar

- Da un paseo largo, come curry u otras comidas con especias, intenta estimularte los pezones (entre diez y quince minutos varias veces al día) o hacer el amor.
- Si estás un poco dilatada pide a tu comadrona que te separe las membranas de la pared del útero. De esta manera se aumenta la producción de prostaglandinas, aunque puede resultar incómodo. El tapón mucoso se puede desprender o puedes tener dolores de cólico después.
- Un homeópata podría sugerir Caulophyllum o Pulsatilla para ayudar a ablandar el cérvix.
- Un tratamiento de acupuntura durante unos días puede ayudar a ablandar el cérvix. Se puede dejar una aguja para que puedas estimular ese punto entre una sesión y otra.
- Una clínica de Malta afirma que una dosis de 50 ml de aceite de ricino mezclado con una cucharada de azúcar y el zumo de seis naranjas exprimidas suele funcionar si el cérvix está blando.
- Un herborista podría sugerir cápsulas de aceite de prímula o una tintura para iniciar el parto.

¡Preparados, listos, ya!

En las últimas semanas del embarazo puedes tener contracciones de Braxton Hicks, que tonifican los músculos del útero para prepararlo para el parto. Son como tirones suaves, o de vez en cuando el abdomen se pone duro y redondo como un balón de fútbol. Suelen ir y venir durante varios días, y pueden aumentar hasta el punto de estar convencida de que el parto ha comenzado para desaparecer cuando decides hacer algo al respecto.

Antes de que empiece el parto algunas mujeres tienen diarrea, y otras sienten una extraña sensación de incomodidad o la urgencia de pintar el cuarto de baño o limpiar el horno. Las contracciones de Braxton Hicks son cada vez más frecuentes, y suelen durar entre veinte y treinta segundos cada una (véase «Contracciones», p. 181).

Unas horas o unos días antes de que comience el parto puedes tener una «descarga»: el tapón mucoso que sella el cérvix se desprende como una gota de gelatina manchada de sangre. No es necesario hacer nada al respecto, pero si hay sangre fresca díselo a tu comadrona.

Entre el 10 y el 15 por ciento de las mujeres rompe aguas en público. Aunque es raro que ocurra, en ese caso la cabeza del bebé suele actuar como un corcho e impide que se escape la mayor parte del fluido. Si el fluido es transparente o de color pajizo no hay ningún problema grave. Ponte en contacto con la comadrona o el hospital para comunicárselo, aunque no sientas contracciones durante varias horas. No es probable que dilates tan rápida como para no llegar al hospital a tiempo, sobre todo si es tu primer hijo.

Un parto normal suele comenzar con contracciones regulares cada vez más fuertes que llegan a intervalos de entre cinco y veinte minutos. Son más evidentes que las contracciones de Braxton Hicks, pero no son dolorosas ni dramáticas al principio. Si crees que necesitas ayuda pide a tu comadrona que venga y te examine o llama al hospital para pedir consejo (véase «Guía rapida: ¿Estoy de parto?», p. 202).

Ir al hospital puede alterar las hormonas que controlan las contracciones, que pueden desaparecer temporalmente y continuar cuando te encuentres cómoda de nuevo. Sentirse preocupada o presionada también puede interrumpir el parto; si te sientes incómoda con la comadrona pregunta con tacto a la enfermera jefe si puede atenderte otra persona.

En el hospital lo más probable es que tengas una habitación individual para el parto. Tu comadrona te tomará la presión sanguínea y la temperatura, te palpará el abdomen y te hará una exploración interna para ver cuánto has dilatado. Puede sugerir que te monitoricen durante veinte minutos para registrar los latidos de tu bebé (esto es opcional), y luego os dejarán solos a tu pareja y a ti.

Si quieres puedes quedarte completamente vestida y andar de un lado a otro para pasar el tiempo, haciendo un breve descanso cada hora. Si necesitas ayuda te dirán qué timbre debes pulsar.

Durante el parto tu comadrona te examinará cada cuatro horas aproximadamente y te echará un vistazo de vez en cuando. Comprobará la posición y el ritmo cardiaco de tu bebé, te tomará la presión sanguínea y te dará un calmante si es necesario. Cuando estés preparada para empujar lo más probable es que llegue otra comadrona para ayudarla.

En un parto en casa tu comadrona te examinará al principio, y podrás continuar con tus cosas como de costumbre, respirando durante las contracciones cuando sea necesario. Es posible que se vaya a atender otras llamadas, pero cuando el parto se establezca se quedará para asegurarse de que tu bebé y tú estáis bien y para ayudarte a afrontar la situación.

Contracciones

Las contracciones de Braxton Hicks duran entre veinte y treinta segundos y pueden ser irregulares. Muchas veces son más fuertes durante un rato y luego desparecen cuando cambias de postura o estás a punto de tomártelas en serio. Normalmente puedes hablar o distraerte entre una y otra. Pueden ser como tirones en el abdomen; calambres similares a los de la regla en la zona inferior del cérvix; un dolor que comienza en la espalda y se extiende hacia delante; un dolor de espalda sordo y persistente; calambres en los muslos o las ingles; como si te apretara un cinturón de lycra demasiado estrecho; o un arrebato de energía que te deja sin respiración.

Las contracciones de parto llegan a intervalos regulares de entre cinco y diez minutos y duran de cuarenta y cinco a cincuenta segundos. A medida que el parto avanza son cada vez más largas, fuertes y frecuentes: con intervalos de entre dos y cinco minutos y una duración de sesenta a noventa segundos. Puede resultar difícil saber cuándo empieza a dilatarse el cérvix, pero en algún punto las contracciones serán más dolorosas y determinantes.

Al principio tendrás que dejar lo que estés haciendo para relajarte y esperar a que se pasen, pero sólo tienes que concentrarte en relajarte cuando tengas una contracción. Cuando sean más fuertes y frecuentes puede que tengas que relajarte conscientemente todo el tiempo. Puedes sentir que te quedas sin aliento; una especie de calambres fuertes; un dolor de espalda persistente que remite pero no desaparece por completo; o la sensación de que necesitas que te ayuden o te reconforten.

Las contracciones que ayudan a empujar tienen un movimiento descendente, y cuando se experimentan por primera vez suelen resultar extrañamente familiares. Muchas mujeres las describen como agradables, pero algunas las encuentran dolorosas. Puedes sentir un nudo en la garganta o hacer un ruido involuntario; si estás de pie puede que te tiemblen las rodillas; o la presión de la cabeza del bebé puede hacer que sientas ganas de defecar.

Parto natural

Tu experiencia personal del parto dependerá entre otras cosas de la posición del bebé, tu estado emocional y las cualidades físicas de tu cuerpo.

Ablandamiento

En un primer parto esta fase suele formar parte de una secuencia continua de contracciones que acaban siendo lo bastante fuertes para dilatar el cérvix; pero en partos posteriores el cérvix puede ablandarse y dilatarse un par de centímetros en las dos últimas semanas del embarazo. Es posible que estés demasiado nerviosa para concentrarte en nada durante mucho tiempo, así que prepara actividades para pasar el tiempo y distraerte de las contracciones (véase «Consejos para un parto natural», pp. 184-185).

Parto suave

Cuando el cérvix comienza a dilatarse las contracciones se asientan y son cada vez más regulares. Puede que necesites relajarte de forma consciente y respirar lentamente hasta que se pasen. Esta fase puede durar mucho tiempo, así que pasea desde el principio e intenta no tomártelo muy en serio demasiado pronto.

Parto fuerte

A medida que avanza el parto los músculos trabajan más para dilatar el cérvix. Cuando las contracciones duren entre cuarenta y cinco y cincuenta segundos no tendrás ninguna duda de lo que significan. Es posible que tengas que concentrarte tanto en mantenerte relajada que no puedas hablar entre una y otra. En ese caso desconecta y déjate llevar por el instinto. Intenta recibir cada contracción sin compadecerte de ti misma.

Ninguna postura será cómoda, pero puede ayudar inclinarse hacia delante, tumbarse de costado, balancear la pelvis, mover el cuerpo en círculos o entrar en un baño caliente o una piscina para partos. Las contracciones intensas que acaban de dilatar el cérvix suelen ser la parte más frustrante del parto, y puede que te sientas abrumada, irritable o con ganas de llorar.

Expulsión

Cuando estés preparada para empujar las contracciones cambiarán. Tu comadrona puede pedirte que te contengas durante unas cuantas contracciones si no estás completamente dilatada; o puede haber una breve pausa antes de que tu bebé entre en el canal del parto, estire el suelo de la pelvis y provoque el reflejo de empujar. Esta fase puede durar desde unos minutos hasta varias horas mientras el bebé se da la vuelta para pasar con más facilidad por la pelvis. Para empujar usarás algunos de los músculos que utilizas para orinar. Puedes sentir que se te cierra la garganta con un gruñido o la sensación de que tienes ganas de defecar.

Última parte

La placenta se separa de la pared del útero y las contracciones cierran los vasos sanguíneos de forma natural. El cordón umbilical de tu bebé seguirá latiendo varios minutos, proporcionándole sangre adicional y una transición más suave para comenzar a respirar. La placenta puede tardar en salir más o menos una hora, pero también te pueden poner una inyección para expulsarla rápidamente. Lo normal es que puedas abrazar a tu bebé inmediatamente. Muchas mujeres sienten una gran alegría, aunque algunas se encuentran bastante desorientadas.

Consejos para un parto natural

Intenta no tomarte las contracciones muy en serio demasiado pronto; planifica actividades que te ayuden a mantenerte relajada:

- Limpia un armario; escribe cartas, manda e-mails, prepara las tarjetas para anunciar el nacimiento del bebé; haz un pastel o comida para congelar; mira fotos familiares, organiza unas vacaciones; ve un vídeo, escucha música o cintas de relatos; llama por teléfono a una amiga para charlar o invítala a tomar café; empieza un tapiz, un puzle, una novela o una revista; juega a las cartas, al scrabble o al dominó; da un paseo.

- Por la noche, pasea bajo las estrellas con tu pareja; toma dos paracetamoles para aliviar el malestar; toma un baño con velas, una taza de cacao e intenta dormir.
- Pregunta a tu comadrona si puede ir a verte a casa al comienzo del parto para que tu pareja y tú estéis seguros de que todo va bien.
- Cuando las contracciones exijan tu atención masajéate el abdomen con suavidad, toma un baño caliente, abrázate a una bolsa de agua caliente o balancea el cuerpo rítmicamente.
- Muévete de un lado a otro y busca posturas cómodas que te ayuden a relajarte.
- Mantén las luces bajas si el parto comienza por la noche; la oscuridad suele hacer que prevalezca el instinto sobre el comportamiento racional. Si estás relajada o con el cerebro tranquilo tus hormonas fluirán mejor.
- Las contracciones pueden ser más fuertes en algunas posturas. Si son intensas descansa durante media hora en una postura que las alivie y luego deja que sigan su curso.
- Espera hasta que puedas soportar las contracciones (normalmente con unos 5 cm) antes de entrar en una piscina para partos. El agua puede reducir tu energía si estás en ella mucho tiempo.
- Un baño profundo puede aliviar el dolor; pon toallas en el fondo y bloquea el desagüe con pasta adhesiva; o permanece de pie en la ducha dirigiendo el agua a la espalda o la parte inferior del vientre.
- Sométete al dolor en vez de intentar controlarlo; acéptalo en lugar de combatirlo.
- Confía en tu cuerpo y en la gente que te ayude. Ábrete conscientemente y déjate llevar.

Terapias alternativas

Algunos de estos remedios alternativos no son adecuados para el embarazo, pero se pueden utilizar en el parto para reducir la tensión, regular las contracciones, aliviar el dolor o evitar hemorragias. Consulta a un terapeuta cualificado; algunos preparan kits para partos o dan consejos por teléfono durante el parto.

Aromaterapia

Los aceites esenciales de manzanilla, geranio o lavanda pueden ayudarte a relajarte y respirar con calma. La salvia tonifica los músculos del útero y acelera las contracciones. La bergamota y la mandarina dan energía. El neroli, la rosa y el jazmín reducen la ansiedad y potencian la confianza.

Algunos terapeutas recomiendan masajearse el abdomen una o dos veces durante el parto con aceite de rosa o geranio por separado o mezclados. Pon cinco gotas de aceite en un esenciero, una gota en una cucharada de aceite vegetal para darte un masaje o cuatro gotas en un baño caliente.

Herbología

La agripalma o la escutelaria pueden aliviar el dolor o el malestar y ayudarte a relajarte. El trilio, el caulophilo y la cimicifuga mejoran las contracciones débiles o irregulares. Las hojas de frambuesa ayudan a regular las contracciones muy fuertes. El ginseng da energía. Toma infusiones durante el parto, haz cubitos de hielo para chupar o prepara una infusión para utilizar en compresas.

Homeopatía

El Caulophyllum puede ayudarte a tonificar el útero si has tenido previamente un parto lento. Cuando el dolor sea intenso prueba acónito si estás ansiosa; manzanilla si estás impaciente por que el parto se acabe; cimicifuga si el dolor se mueve de un lado a otro y tienes el vientre dolorido; Gelsemium o Kali carb si te duele la espalda y te sientes débil. El árnica puede ayudarte a reducir las heridas.

Acupuntura

Durante el parto la acupuntura puede estimular la liberación de endorfinas, los calmantes naturales del cuerpo. Algunos acupuntores atienden partos y utilizan agujas en puntos de la oreja, la pierna o el pie; también te pueden dar una máquina de estimulación transcutánea con electrodos que se ajustan con parches a determinados puntos de la pierna. Después de unos veinte minutos de tratamiento puedes empezar a sentirte relajada y somnolienta.

Parto con tecnología

La tecnología puede resultar de gran ayuda si un parto no avanza, la madre o el bebé tienen una crisis o hay alguna razón para preocuparse por su bienestar.

Inducción

Algunos médicos sugieren de forma automática que se provoque el parto si llevas una o dos semanas fuera de cuentas. Quizá te interese preguntar si es necesario en tu caso y si en vez de eso te pueden monitorizar a diario.

Estadísticamente, cuanto más fuera de cuentas estés más posibilidades hay de sufrimiento fetal, que puede conducir a una cesárea de emergencia; pero algunos factores como la duración de tu ciclo también son importantes.

Para inducir el parto se inserta un pesario o un gel de prostaglandinas con el fin de ablandar el cérvix. Se puede dar más de una dosis, pero cuando estás fuera de cuentas una pequeña dosis puede ser suficiente. Si tienes el cérvix un poco dilatado puede que te rompan las aguas o te pongan un goteo hormonal para estimular las contracciones. Tu bebé debería estar monitorizado continuamente (véase «Guía rápida: Asistencia en el parto», p. 118).

Adopta una postura cómoda antes de que te pongan el goteo y los monitores. No es necesario que estés tumbada en la cama, pero si cambias de postura tu bebé puede moverse y quizá haya que recolocar las correas del monitor. Un parto inducido puede ser más doloroso dependiendo de factores como la posición del bebé y si tu útero está preparado para el parto. Si la inducción es esencial esto es inevitable; pide un calmante si lo necesitas.

Aceleración

Si las contracciones se reducen durante el parto, un goteo hormonal podría evitar un parto muy largo y posiblemente una cesárea. Sin embargo, asegúrate de que el parto está establecido realmente con contracciones fuertes y regulares; algunas mujeres tienen contracciones intermitentes, o van lentas durante unas horas hasta dilatar unos cuantos centímetros y luego sus contracciones se aceleran de forma natural.

La política de algunos hospitales es acelerar el parto si dilatas más despacio de lo que se esperaría de una mujer «normal» (véase información sobre la curva de Friedman en p. 34). Los goteos y los monitores suelen estar esperando en los pasillos del hospital, y es posible que te presionen para que accedas a una intervención. Quizá prefieras continuar a tu propio ritmo, comer algo, tener un poco de privacidad con tu pareja o descansar una hora o dos para renovar fuerzas. Si no estás segura pregunta a la comadrona si acelerar el parto es imprescindible o simplemente una opción.

Consejos tecnológicos

- Pide entonox si tienes un pesario insertado o sientes dolores cuando te rompan las aguas. También puede ayudar si el gel o el pesario te producen dolores de cólico, que pueden ser más incómodos que las verdaderas contracciones.
- Los goteos y los monitores con correas limitan tu libertad de movimientos, así que ponte cómoda en un cojín grande o en una butaca antes de que los instalen. De esta manera podrás cambiar de postura de vez de cuando y pedir a la comadrona que recoloque los monitores.
- Mantén la mente abierta respecto a que te administren petidina o una epidural. Una intervención puede hacer que el parto sea más doloroso, y la monitorización continua puede impedir que te muevas, con lo cual es más difícil controlar el dolor.
- Si tienes un parto asistido es más probable que necesites puntos. Los tejidos que rodean el canal del parto están entumecidos inmediatamente después del parto, pero si tardan en darte los puntos pide una anestesia local o entonox.
- Si se utiliza tecnología durante el parto se altera el mecanismo natural del parto. Puede ser más seguro que te pongan una inyección para que el útero se contraiga y expulses la placenta rápidamente.

Parto asistido

Los fórceps están especialmente diseñados para encajar alrededor de la cabeza de un bebé en el canal del parto. Las ventosas se ajustan mediante succión.

Normalmente la forma del canal del parto, la posición del bebé y la fuerza de las contracciones aseguran que el bebé nazca de una manera controlada, ni demasiado rápido ni demasiado lento. Un parto asisitido puede resultar útil si falla alguno de estos factores.

Si tu bebé tiene la cabeza inclinada, los fórceps o una ventosa pueden darle un poco la vuelta para que pase por debajo del arco púbico; si se mueven hacia delante y luego se llevan hacia atrás cuando acaban las contracciones se pueden sujetar para que tu bebé avance cada vez que empujes. Se pueden utilizar si un bebé es prematuro o está de nalgas para controlar el ritmo del parto. Puede haber ya una epidural o te pueden poner una inyección espinal en la parte inferior de la espalda.

Parto con cesárea

Esta operación se tarda en realizar una hora aproximadamente, y la mayoría de los preparativos son similares se lleve a cabo con anestesia local o general.

Preparación

Te tomarán muestras de sangre para contrastar y te cortarán o te afeitarán el vello púbico. Puede que te den un supositorio para vaciar los intestinos, antibióticos para reducir el riesgo de infecciones y un antiácido para neutralizar los ácidos gástricos. Tendrás que quitarte las joyas, las lentillas, el maquillaje y el esmalte de uñas para que te puedan ver el color durante la operación.

Luego se coloca un goteo para introducir fluidos o medicamentos. Te pondrán unos electrodos en el pecho para monitorizar el corazón, un manguito en el brazo para medir la tensión, y puede que te den unas medias elásticas para ayudar a mantener la presión sanguínea. También te pueden colocar una placa diatérmica alrededor de la pierna para controlar las hemorragias. Poco después de la operación es posible que te den más oxígeno para ayudar al bebé.

La anestesia

La mayoría de las cesáreas se realizan con anestesia local para evitar los riesgos asociados a la anestesia general. Tu pareja puede estar presente, y la emoción de ver nacer a su hijo suele compensar el nerviosismo.

Una epidural tarda de treinta a cuarenta minutos en hacer efecto, o menos si te la ponen en un lugar en el que se pueda profundizar. En una inyección espinal se utiliza una mezcla de medicamentos y su efecto es más rápido, pero no se puede poner más de una, así que quizá te pongan una epidural al mismo tiempo por si acaso la operación dura más de lo previsto y para aliviar el dolor después. Cuando la anestesia ha hecho efecto se inserta un catéter (un tubo fino) para vaciar la vejiga.

Si prefieres no estar despierta durante la operación, o cambias de opinión en el último momento, te pueden poner anestesia general; hoy en día se utilizan gases más suaves y la recuperación es más rápida de lo que solía ser.

Cuando te quedes dormida te pasarán un tubo estrecho por la tráquea y una comadrona te presionará suavemente la garganta para que no vaya por un camino equivocado. Para darte los puntos te pondrán una anestesia más profunda. No es probable que permitan a tu pareja presenciar la operación, pero podrá abrazar a tu bebé mientras te cosen.

La operación

Normalmente están presentes un anestesista, un tocólogo, un pediatra, un médico adjunto y dos comadronas. Si estás despierta tu pareja se sentará junto a tu cabeza, y te pondrán una pantalla de lienzos estériles sobre el pecho para impedir la visión.

La incisión se suele hacer por debajo de la línea del vello púbico, con una longitud de entre 15 y 20 cm. Es probable que sientas como si alguien estuviera dibujando en tu piel con un bolígrafo y luego revolviera en una bolsa. En diez minutos aproximadamente levantarán a tu bebé por encima de la pantalla y luego sacarán la placenta a través de la incisión.

Consejos para un parto con cesárea

- Pregunta si te pueden cortar el vello púbico en vez de afeitarlo para evitar la sensación de picor cuando vuelva a crecer.
- Si prefieres no quitarte el anillo de boda se puede tapar con cinta adhesiva.
- Puedes utilizar un reproductor de música con auriculares para ocultar los ruidos habituales de la operación, como los chasquidos, los golpes y el sonido metálico de los instrumentos.
- Si te sientes mareada te pueden dar más oxígeno o medicamentos para los mareos.
- Pide que bajen la pantalla si quieres ver nacer a tu bebé.
- Si te dan anestesia general, dile a tu pareja que se siente a tu lado en la sala de recuperación con tu bebé para que los veas en cuanto te despiertes.

- A no ser que haya una crisis, puedes pedir a tu comadrona que saque fotos, grabe el primer llanto de tu bebé o le ayude a tomar pecho inmediatamente después del parto.
- Quizá prefieras lavarte o ducharte para reducir el riesgo de contraer una infección en el hospital. Mantén la herida seca dando palmaditas suaves con toallitas de papel.
- Lleva al hospital unas zapatillas abiertas y una percha de alambre o unas tenazas para coger objetos que estén fuera de tu alcance.
- Las infusiones de menta e hinojo alivian los gases; los alimentos ricos en fibra ayudan a evitar el estreñimiento.
- Quitar los puntos no suele doler, pero si es así pide entonox.
- Si quieres ir pronto a casa es posible que tu comadrona pueda quitarte los puntos o las grapas; pero asegúrate de que tienes la ayuda necesaria en casa.
- Utiliza un cojín para proteger la cicatriz del cinturón de seguridad durante el viaje a casa.

Normalmente se puede abrazar o dar pecho a los bebés mientras se dan los puntos, en lo cual se tarda unos cuarenta y cinco minutos porque se repara cada capa por separado. La piel se cierra con grapas o una puntada corrida con un nudo en cada extremo y se protege con vendas y esparadrapo. Se puede dejar un tubo pequeño para drenar fluidos. Algunos bebés necesitan ayuda para respirar o cuidados especiales después de un parto con cesárea.

Última parte

Puede que te quiten el catéter de la vejiga o lo dejen durante varias horas. Al principio es posible que sólo te den líquidos y luego comidas ligeras, como sopa y pan, hasta llegar a una dieta normal al cabo de unos días. Te pueden dar pastillas o una inyección de heparina para evitar que se formen coágulos, pero te animarán a moverte en veinticuatro horas para acelerar la recuperación. La cicatriz estará roja al principio y puede que supure un poco, una parte normal del proceso de curación. La estancia en el hospital será de unos cinco días o hasta que te quiten los puntos o las grapas.

Por lo general el dolor es peor el primer día, y es posible que te den una inyección además de pastillas o supositorios para reducir la inflamación. Te pueden ofrecer un cóctel de medicamentos que incluyen remedios para los gases y la acidez de estómago; o una analgesia controlada en la que te administras los calmantes tú misma por medio de una máquina que previene las sobredosis. Estos medicamentos son seguros para dar el pecho.

Las mujeres sienten el dolor de diferente manera, pero algunas se arreglan utilizando una máquina de estimulación transcutánea (con los electrodos colocados a ambos lados de la cicatriz), las técnicas de respiración que han aprendido para el parto o remedios homeopáticos como raphanus 30 para los gases y árnica 30 para las conmociones corporales. El paracetamol puede ser suficiente después de unos días.

Recuperación en el hospital

Para la mayoría de las mujeres los primeros días después de una cesárea son agotadores, pero en general cuanto más en forma estés más rápida te recuperarás.

Movimientos

Para salir de la cama, túmbate de costado y flexiona las rodillas. Pon la mano de arriba en la cama o en la mesilla para hacer fuerza y lleva el cuerpo hacia arriba y las piernas hacia abajo con suavidad. Si la cama es alta pide un taburete.

Para levantarte, coloca los pies separados en el suelo. Pon las dos manos sobre la cama, inclínate hacia delante y levántate. Mantente lo más derecha posible. Para andar desliza un pie hacia delante, mueve el cuerpo hasta apoyar el peso sobre él y luego adelanta el otro pie. Tómate tu tiempo. Apóyate en los brazos para sentarte o levantarte. Al principio puede ser más cómoda una silla con brazos y un asiento alto.

Pecho

Dar el pecho puede exigir más paciencia después de una cesárea que de un parto normal. Experimenta hasta que encuentres una postura cómoda; tu comadrona te ayudará. Pon a tu bebé sobre una almohada suave encima de la cicatriz, mete sus piernas debajo del brazo o túmbate de costado con él a tu lado.

Cuidado del bebé

Al principio te sentirás débil y necesitarás mucha más ayuda para levantar, dar de comer y cuidar a tu bebé que alguien que haya tenido un parto normal. Pide ayuda cuando la necesites. Intenta recuperar poco a poco la movilidad para poder cuidar cada vez más a tu bebé, pero no hagas demasiadas cosas para acabar agotada.

Opciones y control

Cuando hay confianza no suele haber ningún conflicto, y la confianza se crea rápidamente cuando la gente está en la misma onda. Si conoces a la comadrona que te atenderá en el parto y habéis hablado del tipo de parto que prefieres no es probable que decida nada por ti a no ser que tú lo quieras. Si cree que algo es importante te planteará la situación de un modo que te resulte fácil tomar la decisión. Sin embargo, la mayoría de las mujeres no conocen al personal que las atiende, y en la fase más intensa del parto son especialmente vulnerables; nadie puede comprobar información o rebatir una opinión mientras tiene contracciones fuertes.

Elegir es importante, pero un exceso de opciones puede provocar temores e indecisión. A veces la mejor opción es no hacer nada y dejarse llevar por el instinto en vez de actuar de un modo racional. Para algunas mujeres elegir es un problema, y les hace olvidarse de que están perfectamente diseñadas para dar a luz.

Si quieres crear un ambiente en el que puedas mantener el control te resultará útil ver el otro lado de la moneda. Tu comadrona confía en su criterio profesional para realizar su trabajo, y mientras a ti te puede preocupar que te aceleren el parto ella puede estar igualmente ansiosa al permitir que tu parto se alargue demasiado sin una intervención.

Puedes rechazar cualquier tratamiento, pero no puedes obligarla a tratarte como quieras si va en contra de sus criterios. Por ejemplo, puedes negarte a que monitoricen los latidos de tu bebé al llegar al hospital, pero no puedes insistir en utilizar una piscina para partos si se niega porque no te ajustas a los requisitos del hospital.

La gente funciona mejor dentro de su margen de comodidad personal. En la práctica puedes optar por lo que quieras siempre que se encuentre dentro del margen de comodidad de los profesionales de la salud que te atiendan. Si no es así encontrarán razones para negártelo: falta de recursos, experiencia, procedimientos, pruebas científicas, etc. Tu capacidad de decisión será mayor si tu médico o comadrona tienen la experiencia y la seguridad suficientes para tener un amplio margen de comodidad personal.

Si tienes a tu bebé en el hospital tendrás más posibilidades de conseguir una comadrona que esté en tu onda cuando llames

Diálogo: Discusión de un tratamiento

Sarah ha tenido contracciones fuertes durante diez horas. Está dilatada de 4 cm y ella y su comadrona creen que todo va bien. Llega el médico.

Médico: «¿Cómo te sientes? Tus contracciones son un poco débiles. Podríamos ponerte un goteo para acelerarlas.»
Sarah: «Me siento bien, gracias. No quiero un goteo si no es imprescindible.»
Médico: «Ya es hora de que el parto avance. El bebé está bien de momento, pero no queremos que sufra, ¿verdad?»
Sarah: «No, pero estamos los dos bien. Prefiero seguir sin un goteo por ahora.»
Médico: «No queremos que estés demasiado cansada para empujar. Vas muy lenta.»
Sarah: «¿Está diciendo que mi parto es anormal, o que mi bebé corre peligro si no me ponen un goteo?»
Médico: «No exactamente, pero es mejor para el bebé que el parto no se alargue demasiado.»
Sarah: «Me gustaría continuar así si no hay ningún riesgo para mi bebé. ¿Podemos hablar de esto más tarde?»
Médico: «Muy bien, esperaremos otro par de horas, pero entonces deberíamos tomar una decisión.»
Sarah: «Gracias, lo discutiremos entonces.»

por teléfono antes de ir. Explica qué tipo de parto quieres y pregunta si te pueden asignar a alguien que sea capaz de ayudarte a lograrlo.

La mayoría de los profesionales de la salud no están ahí para someterte a sus deseos, ni tú eres una víctima impotente. Si una

Diálogo: Cuestionamiento de una intervención

Bryony y Jeff van a tener a su tercer bebé en el hospital. Sus otros hijos nacieron en un centro maternal, pero desde entonces se han trasladado a otra ciudad.

Comadrona: «Túmbate en la cama y te conectaremos al monitor durante un rato.»

Bryony: «No quiero que me monitoricen, gracias.»

Comadrona: «Aquí se lo hacemos a todo el mundo. Nos gusta tener un registro del ritmo cardiaco del bebé.»

Bryony: «Cuando nacieron mis otros hijos no me lo hicieron. No es esencial, ¿verdad? ¿Podría traerme una colchoneta, por favor, y una pelota de goma si tiene?»

Comadrona: «No es esencial, pero en este hospital tenemos la costumbre de comprobar si el bebé está bien. Sólo serán veinte minutos, luego puedes hacer lo que quieras.»

Bryony: «Gracias, pero no quiero. Ponga en mi ficha que me he negado.»

Jeff: «¿Podría traerle una colchoneta? Quiere concentrarse en las contracciones.»

Comadrona (dándoles una colchoneta pequeña de plástico): «Tengo que tomarte la tensión y examinarte, Bryony. ¿Me dejarás hacer eso?»

Jeff (ayudando a Bryony a arrodillarse en la colchoneta): «¿Podría examinarla donde está, por favor? No querrá tumbarse en la cama.»

Comadrona: «Haré lo que pueda. Es ella la que decide.»

comadrona te recuerda constantemente que es posible que las cosas no salgan según lo previsto dile que te está desanimando en un momento en el que necesitas ser positiva y creer en ti misma. Sabes que puedes cambiar de opinión y que será decepcionante, pero debe confiar en que serás flexible. Si te resulta difícil hablar de un tratamiento o cuestionar un procedimiento revisa los apartados del capítulo 5 en los que se explica cómo crear un diálogo.

Las contracciones de Sarah se aceleraron de forma natural cuarenta minutos después y su bebé nació dos horas y media más tarde.

Si el médico o la comadrona parecen estar muy seguros al recibirte puedes marcar el tono de lo que venga a continuación saludándoles con la misma seguridad, con la cabeza alta, la mano extendida y mirándoles directamente con una sonrisa. Haz preguntas para conseguir la información que necesites para tomar una decisión, no para poner en duda su capacidad, para asegurarte de que las respondan con amabilidad.

No es necesario que seas una experta para plantear este tipo de preguntas:

- ¿Es este procedimiento (tratamiento) esencial o sólo una opción?
- ¿Será seguro para mi bebé si me someto a él (o no)?
- ¿Puede explicarme las ventajas y los inconvenientes de lo que me está sugiriendo?
- ¿Podría darnos unos minutos a mi pareja y a mí para pensarlo, por favor?

Cambio de opinión

Que las cosas salgan bien es más importante que el pequeño apuro de reconocer que estabas equivocada. Aunque te resulte difícil mantenerte firme y positiva si el parto no puede ser como querías, cambiar de opinión es un privilegio que se debe guardar celosamente.

Mantener una decisión se ha considerado una virtud durante mucho tiempo, y no se suele cuestionar, pero la experiencia puede y debe determinar las decisiones. La flexibilidad, adaptarse a las circunstancias y confiar en tu instinto pueden ser opciones positivas.

Janice: Podría haber soportado el dolor si el parto no hubiera sido tan largo. Mi parto comenzó una noche y duró hasta el día siguiente. La segunda noche tomé una pastilla para dormir y, casi histérica por el cansancio, acabé aceptando una inyección de petidina. A la mañana siguiente, sin haber dormido apenas y desesperada por que me ayudaran, pedí una epidural. Sabía que no podía resistir más.

Ahora me doy cuenta de que me ponía nerviosa tomar la decisión y la retrasé demasiado, pero cuando cambié de opinión fue un gran alivio. Finalmente conseguí dormir unas cuantas horas y me encontré muchísimo mejor. El parto fue fabuloso, una experiencia muy satisfactoria. Estaba decepcionada por tomar medicamentos porque esperaba que todo fuera normal, pero a la larga no importó.

Diana: Mi primer parto fue inducido. Las comadronas me pusieron un pesario y unas horas después se disculparon porque tenían poco personal y no podían seguir con la inducción. Después de dos noches sin dormir estaba desesperada. El tercer día me pusieron un goteo y una epidural y tuve un parto con fórceps.

No me sentía capaz de volver a pasar por eso, así que esta vez opté por una cesárea electiva. Mi comadrona me apoyó, pero cuando rompí aguas dos semanas antes de lo previsto sugirió que esperásemos para ver qué ocurría. Las contracciones empezaron en mitad de la noche y supe instintivamente que tendría un parto normal. Seguí con mi presentimiento, me reuní con mi comadrona en el hospital y Rosa nació seis horas después de forma natural. No sé por qué cambié de opinión, pero esta vez fue totalmente diferente.

En resumen

- Cómo vaya el parto dependerá de tu tipo de cuerpo, tu estado emocional y la posición del bebé. Puedes hacer que sea más fácil manteniéndote lo más relajada posible para que tu útero pueda funcionar con la máxima eficacia.
- Si es tu primer parto intenta no tomártelo muy en serio demasiado pronto. Haz lo que sea para distraerte de las contracciones. Duerme si puedes; las contracciones te despertarán cuando tengas que ocuparte de ellas.
- No tienes que complacer a nadie. Si comprendes el proceso del parto y crees en ti misma aceptarás encantada que te ayuden si es necesario, pero no dependerás de los médicos o las comadronas para resolver las dificultades de un acontecimiento normal de la vida.
- Es el día del nacimiento de tu hijo. Salga como salga, disfruta de la experiencia.

GUÍA RÁPIDA: ¿ESTOY DE PARTO?

Una respuesta afirmativa a estas preguntas puede ayudarte a saber si estás de parto:

- ¿Sigues teniendo contracciones si cambias de actividad; por ejemplo si te das un baño relajante si estabas haciendo algo o paseas si estabas descansando?
- ¿Son más largas, fuertes o frecuentes que hace media hora?

Si sigues sin estar segura haz este test; cuanto más se acerque tu puntuación al «8» más posibilidades habrá de que estés de parto:

- Cuando cambias de actividad, tus contracciones...
  Desaparecen; (0 puntos)
  Se mantienen igual; (1 punto)
  Son más fuertes. (2 puntos)
- Tu madre o una amiga llaman por teléfono para ver cómo estás.
  ¿Charlas animadamente? (0 puntos)
  ¿Hablas pero haces una pausa cuando tienes una contracción? (1 punto)
  ¿Pides a tu pareja que le diga que llame más tarde porque no puedes hablar? (2 puntos)
- Tu pareja bromea para levantarte el ánimo.
  ¿Agradeces su esfuerzo y te ríes? (0 puntos)
  ¿Sonríes cuando termina una contracción? (1 punto)
  ¿Crees que has perdido el sentido del humor? (2 puntos)
- Tu pareja sugiere llamar a la comadrona o al hospital.
  Es demasiado pronto, estás perfectamente; (0 puntos)
  De acuerdo, pero lo llevas bien; (1 punto)
  Es el momento adecuado porque necesitas un poco de apoyo. (2 puntos)

GUÍA RÁPIDA: PARTO NATURAL

	Qué ocurre	*Cómo te puedes sentir*	*Qué debes hacer*
Fase de preparto	Contracciones irregulares que duran de veinte a treinta segundos y llegan a intervalos de entre cinco y veinte minutos; pueden desaparecer al cambiar de actividad.	Nerviosa y emocionada; o con miedo escénico.	Conserva la energía; descansa o duerme si puedes; mantente ocupada e ignóralas.
Parto suave	Contracciones regulares que duran de cuarenta y cinco a cincuenta segundos con intervalos de entre cinco y diez minutos.	Tranquila y con energía; o nerviosa y asustada.	Relájate conscientemente y respira durante las contracciones; paséate; intenta no tomártelas muy en serio demasiado pronto.
Parto fuerte	Contracciones frecuentes que duran de sesenta a noventa segundos con intervalos de entre tres y cinco minutos.	Muy tranquila; o abrumada y presionada hasta el límite.	Respira lentamente; recibe con una actitud positiva las contracciones fuertes (te dilatarán con más rapidez); disfruta de los periodos de calma que hay entre ellas.

	Qué ocurre	*Cómo te puedes sentir*	*Qué debes hacer*
Transición	Contracciones irregulares que duran de cuarenta a noventa segundos con intervalos de entre dos y seis minutos.	Distante o llena de energía; o asustada, enfadada o agotada.	Toma entonox o arrodíllate con el trasero en el aire para aliviar la presión y no empujes si no estás completamente dilatada. Si no tienes contracciones o necesidad de empujar, permanece en una postura vertical, descansa y estate agradecida; no tardarán en comenzar de nuevo.
Expulsión	Las contracciones duran unos cuarenta y cinco segundos y llegan cada pocos minutos.	Llena de energía y confianza; o vulnerable y asustada.	Empuja hacia la sensación ardiente para entumecer los tejidos cuando tu bebé asome la cabeza.

GUÍA RÁPIDA: PARTO DE EMERGENCIA

No es probable que tengas que atender el parto de tu pareja (o el tuyo) aunque el parto anterior fuera bastante rápido, pero si ocurre esto es lo que debes hacer:

- **¡No te asustes! Si tu bebé llega rápidamente el parto será normal y sencillo casi con toda seguridad.**
- Pide ayuda por teléfono si tienes tiempo. En caso contrario utiliza el sentido común; por ejemplo, pon toallas en un suelo duro o frío y busca una manta o un edredón para después.
- Quédate con tu pareja y dile que todo saldrá bien para tranquilizarla.
- Cuando aparece la cabeza del bebé el cuerpo suele salir en cuestión de minutos. Si no es así busca dentro el cordón umbilical y aflójalo lo suficiente para pasarlo sobre la cabeza del bebé.
- El bebé estará húmedo y escurridizo. Sujétale con firmeza de costado para que pueda expulsar los fluidos por la boca. Limpia cualquier mucosidad evidente.
- Deja el cordón umbilical; proporcionará oxígeno durante unos minutos mientras el bebé empieza a respirar. El médico o la comadrona se ocuparán de él cuando lleguen.
- Abrazar o dar pecho al bebé ayuda a que el útero se contraiga de un modo eficaz.
- Mantén a la madre y al bebé calientes cubriéndoles con la manta o el edredón. Algunos bebés están conmocionados al nacer tan rápido.
- En cuanto el bebé respire pide ayuda por teléfono si no pudiste hacerlo antes del parto.
- Los niños se toman las cosas con normalidad si te ven tranquila. Pide a un niño más mayor que pida ayuda por teléfono o vaya a buscar a un vecino si es necesario.

¡No te asustes! El sentido común es más útil.

Capítulo 8

Después del parto

Los mejores consejos para recuperarte después de dar a luz son «cuídate» y «date un respiro». En las semanas posteriores al parto muy pocas mujeres pueden mantener un ritmo de vida intenso sin un ejército de ayudantes. Puedes ser *superwoman* en alguna ocasión o a ratos, pero las mujeres que pueden funcionar así día tras día normalmente tienen mucha ayuda, un bebé tranquilo y ninguna otra preocupación. En otras palabras, son la excepción más que la regla.

Se tardan nueve meses en criar a un bebé, así que date otros nueve meses para recuperarte. Puede que no tardes tanto dependiendo de tu constitución, cómo fuera el parto y si das el pecho o no; pero pasarán varios meses antes de que tus niveles hormonales se asienten y tu cuerpo recupere el estado que tenía antes del embarazo. Mientras tanto tienes que adaptarte a las necesidades y las exigencias de un recién nacido. Si te das nueve meses para volver a la normalidad puedes evitar la tensión de perseguir un objetivo inalcanzable.

Has experimentado los cambios físicos y emocionales del embarazo, los trastornos del parto o la conmoción de una operación quirúrgica y los cambios extraordinariamente rápidos de la primera semana después del parto. Con la expulsión de la placenta, la fábrica que producía las hormonas necesarias para tu embarazo se cierra por completo. Los niveles de progesterona de la sangre descienden y la glándula pituitaria libera prolactina para decirle a tu cuerpo que produzca leche. Esta hormona hace que te sientas relajada y activa el comportamiento maternal; también reduce el apetito sexual e interrumpe la ovulación, así que de forma indirecta protege a un nuevo bebé haciendo que sea menos probable que haya otro embarazo.

Entre los consejos sobre los cólicos y el llanto, los dolores y los problemas y las noches sin dormir, nadie puede prepararte para la alegría que trae un bebé o el orgullo que sientes al ver cómo se desarrolla una nueva vida ante ti. Estos sentimientos son inimaginables e irremplazables. Relájate y disfruta de tu bebé; este periodo tan especial sólo dura unos cuantos meses de tu vida.

El desarrollo del amor

Inmediatamente después de un buen parto puedes estar exultante y sentir una emoción más intensa que cualquiera que hayas sentido nunca. Bañada por las hormonas del parto y la sensación de triunfo, sin que te importen los ojos hinchados o la piel enrojecida, fascinada por tu bebé, estás preparada para una larga historia de amor.

Sin embargo, no todo el mundo tiene tanta suerte. Incluso después de un parto sencillo puedes estar íntimamente decepcionada por el aspecto de tu bebé, u orgullosa de ti misma, aliviada de que el parto se haya acabado, pero sin saber qué hacer con el bebé. Si has tenido un parto difícil o te ha afectado lo que ha ocurrido puedes sentirte desolada o abrumada en vez de exultante. Sea cual sea tu experiencia, quizá te resulte constructivo hablar del parto con la gente que te ha ayudado.

Se suele dar mucha importancia al proceso de apego que hace que antepongas las necesidades de otra persona a las tuyas; pero después del parto las hormonas te ayudan a enamorarte de tu bebé siempre que te den el espacio y la libertad para conocerle a tu manera y a tu propio ritmo.

El proceso de apego puede llevar un poco más de tiempo si el parto ha sido físicamente difícil o estresante emocionalmente y has tenido que reprimir tus sentimientos para afrontarlo; el cuerpo y el espíritu necesitan tiempo para curarse. También puede llevar más tiempo si te separan de tu bebé por una enfermedad, o si no te trataron con cariño de pequeña.

Sin embargo, el apego no es algo más por lo que las madres deban preocuparse; en realidad debería servir para recordar a los demás que no deben interponerse entre tu bebé y tú si no es absolutamente esencial. La calidad del tiempo que pases con tu bebé puede favorecer este proceso, pero es posible que no ocurra inmediatamente ni en unos pocos días.

El camino de la recuperación

Un día o dos después de dar a luz puedes sentirte como si hubieras corrido una maratón, y puede que tengas una incómoda sensación de decepción. Estos sentimientos suelen aparecer al volver a casa del hospital.

Es posible que te sorprendas de lo frágil y dolorida que te sientes, pero tu cuerpo ha sufrido muchas alteraciones, así que no es nada sorprendente. Los problemas posnatales comunes no siempre necesitan ayuda médica. Muchas mujeres utilizan métodos de autoayuda, terapias complementarias (véase «Guía rápida», pp. 230-231) o tratamientos como masajes craneales, reflexoterapia o acupuntura para recuperarse del parto.

Hematomas y dolores

Incluso las que no tienen puntos suelen sentir dolores o molestias alrededor de la vulva durante unos días y les resulta incómodo andar. El suelo de la pelvis ayuda a dispersar la hinchazón aunque la sensación sea leve. Para los hematomas prueba con un tratamiento homeopático de árnica o aplícate crema de árnica si tienes la piel intacta. La mayoría de las mujeres se curan rápidamente después de dar a luz porque la placenta refuerza el sistema inmunológico hacia el final del embarazo.

Loquios

La descarga vaginal después del parto dura entre dos y seis semanas, y en algunos casos más tiempo. Al principio es de un rojo intenso, como una regla abundante con pequeños coágulos, y suele ser más profusa cuando se da pecho. A medida que disminuye adquiere un color marrón rojizo, luego marrón claro y finalmente rosado. Utiliza compresas en vez de tampones para reducir el riesgo de infecciones y si es muy profusa u ofensiva díselo a tu comadrona.

Es normal que el loquios sea de un rojo intenso durante unas horas cuando te levantes o estés más activa. Los episodios suelen ser cada vez más cortos, pero el mejor tratamiento es descansar durante un rato. Si estás dando el pecho no tendrás la regla hasta que destetes a tu bebé; pero si le das biberón volverás a tener el periodo unas seis semanas después del parto.

Dolores del posparto

Estos dolorosos calambres, similares a las contracciones de la primera fase del parto, ayudan a que el útero recupere su tamaño normal y a expulsar el loquios. Suelen ser peores el segundo día. Puede que apenas los sientas con el primer parto, pero en los siguientes son cada vez más fuertes. Se intensifican al dar el pecho y disminuyen a medida que pasa el día.

Puedes tomar paracetamol o tratarlos como contracciones de parto y respirar mientras duren. Los tratamientos homeopáticos de árnica o fosfato de magnesio, o un remedio de hierbas como dos comprimidos de viburno tres veces al día o una tintura de agripalma pueden ayudar. Si son muy intensos o duran más de una semana díselo a tu comadrona para que pueda descartar una posible infección.

Puntos dolorosos

Un pequeño desgarro se puede curar de forma natural, y deberías sentirte mejor en una semana aproximadamente. Un desgarro más grande o una episiotomía pueden tardar dos semanas, y la herida de una cesárea tardará en curarse un poco más. Para no contraer una infección que podría prolongar la curación varias semanas presta especial atención a la higiene en el hospital. Si el dolor persiste díselo a tu comadrona.

Si has tenido un desgarro o una episiotomía, una ducha o un baño en el bidé con poca presión pueden aliviar el picor de la orina. También puedes echar un vaso de papel con agua tibia sobre la zona. Las compresas de hielo (una bolsa de guisantes congelados envuelta en una toalla o una bolsa de gel deportivo) o bañar la zona con agua caliente y fría alternativamente pueden aliviar el dolor. Si te falla esto consulta a un fisioterapeuta. Mete una toalla enrollada en la pierna de un leotardo y átala en forma de aro para aliviar la presión si te resulta incómodo sentarte. Con cualquier cicatriz, si crees que algo no va bien después de unas semanas habla con tu médico.

Pechos o pezones doloridos

Cuando llega la leche, o alrededor del tercer o cuarto día después del parto, puedes tener los pechos duros, calientes e hinchados. Para aliviar estas molestias lávatelos con agua fría o caliente; o mete unas hojas de berza dentro del sujetador y cámbialas cuando se ablanden.

El dolor de los pezones provocado por la salida de la leche al comienzo de una toma se suele pasar al cabo de una semana o dos. Si sientes dolor durante una toma comprueba la posición de tu bebé: deberías ver un movimiento de succión en la mandíbula o en la oreja si ha cogido bien el pecho. Algunos bebés necesitan tiempo para aprender. Para aliviar el dolor, extiende una pasta de olmo y agua en medio de un trozo de muselina, dóblalo y ponlo dentro del sujetador; o prueba con un ungüento de raíz de consuelda o una crema de caléndula o Hypercal.

Depresión posparto

Esta sensación de tristeza y fragilidad es normal en las primeras semanas después del parto, pero sólo suele durar unas cuantas horas o un día o dos. Puedes sentirte extremadamente sensible o miserable dos o tres días después del parto mientras llega la leche y tu cuerpo se adapta a diferentes niveles hormonales. Por lo general las mujeres tienen ganas de llorar o reaccionan de forma excesiva en situaciones que normalmente se toman con calma. Necesitan apoyo y compresión hasta que se sienten más fuertes (véase también «Guía rápida: Enfermedades posnatales», p. 232).

Recuperación después de una cesárea

Volver a casa después de una cesárea puede ser desalentador. Puedes angustiarte por lo débil que te sientes y cuánto necesitas descansar. Algunas mujeres ni siquiera se pueden mover sin ayuda, y mucho menos levantar a un bebé o abrazar a un niño; otras parecen recuperarse rápidamente para recaer unas semanas después cuando acusan la falta de sueño.

Al principio la cicatriz suele estar roja y abultada, pero al cabo de unas semanas se oscurece, adquiere un tono rosado y se acaba convirtiendo en una línea plateada cubierta por el vello púbico. Las cicatrices levantadas o curvadas parecen encogerse mientras se curan desde los extremos. Algunas mujeres se preocupan cada vez más por el aspecto de su cicatriz.

Otras pierden la confianza en su cuerpo y creen que ya no pueden contar con él; o se encuentran bien hasta que una amiga tiene un parto normal varias semanas después y de repente se sienten decepcionadas por no haber tenido una experiencia similar (véase «Reflexiones sobre el parto», p. 221).

Se necesita tiempo para volver a la normalidad después de cualquier parto, y mucho más si ha habido una operación quirúrgica abdominal. Al principio es probable que te quedes sin energía enseguida, y con tener una visita o dar un paseo corto tendrás más que suficiente. El útero se suele recuperar por completo en unas seis semanas, pero mientras tanto necesitarás ayuda con cualquier cosa que tire de la herida; por ejemplo para levantar pesos, pasar la aspiradora y cargar la lavadora.

Cuánto tardes en recuperarte dependerá de lo en forma que estés y si hay alguna complicación, pero éste es el proceso normal:

Primera semana: La herida duele. Te sientes débil y necesitas ayuda para levantar, dar el pecho y cuidar a tu bebé.

Primer mes: Unas pocas mujeres se sienten recuperadas físicamente; la mayoría no se siente aún en forma. Doblarse, levantarse o tumbarse en algunas posturas puede ser incómodo, pero si la herida duele mucho o está cada vez peor habla con tu médico de cabecera.

Tres meses: Algunas mujeres se han recuperado por completo, pero muchas se siguen cansando con facilidad o tienen poca energía. El vello púbico ha crecido y tapa la cicatriz.

Seis meses: La mayoría de las mujeres se han recuperado físicamente. La cicatriz ha desaparecido y ya no sienten punzadas o entumecimiento.

Un año: La mayor parte de las mujeres se sienten bien, pero unas pocas no se encuentran aún en forma física o emocionalmente; o les pica aún la cicatriz o tienen zonas entumecidas.

Consejos para después de una cesárea

- Ponte ropa holgada con bolsillos para llevar cosas y pantalones de cintura alta que no rocen la cicatriz; si te pica la cicatriz mantén una loción en el frigoríco para aliviar el picor.
- Ten ropa para cambiar a tu bebé arriba y abajo para ahorrar energía. Cambia los pañales sobre una mesa o una cómoda para no inclinarte.
- Almacena cosas básicas para no tener que empujar un carrito en el supermercado; o encarga las compras por teléfono o Internet y paga por la entrega.
- Para mantener la energía, prepara algo de comer y beber antes de empezar a dar el pecho. Deja zumo y tentempiés nutritivos en todas las habitaciones para tenerlos a mano; utiliza un termo para las bebidas calientes.
- Delega todo lo posible y acepta todas las ofertas de ayuda. Un par de manos más pueden compensar el gasto, sobre todo si tienes otros hijos.
- Si pierdes la confianza en tu cuerpo sé sincera con tu pareja. Quizá necesites que te reconforten antes de estar preparada para volver a disfrutar del sexo.
- Dale tareas concretas a tu pareja si no sabe cómo ayudar. Por ejemplo, pídele que cargue la lavadora antes de ir a trabajar y a una vecina que cuelgue la ropa después.
- La mayoría de las mujeres creen que el aspecto de su cicatriz mejora con el tiempo, pero si no te parece bien al cabo de unos meses habla con tu médico de cabecera.

Recuperación de una cesárea si tienes un niño pequeño

- Si te van a realizar una cesárea electiva explica a tu hijo antes del parto que si le levantas cuando llegue el bebé te dolerá la tripa. Enséñale a subirse a su silla alta, a usar un taburete para entrar en la bañera y a subir y bajar de la cama con una silla mientras tú permaneces cerca. A la mayoría de los niños les gusta ser independientes.
- Consigue vídeos nuevos para mantenerle ocupado.
- Una cesárea puede ayudar a romper el hielo. Si tu pareja deja a tu hijo en la guardería, otras madres pueden ofrecerse a llevarle a casa aunque no te conozcan bien.
- Pregunta a tu madre u otro familiar si puede tomarse unas vacaciones para ayudarte. Hazte amiga de la pareja de tu madre; puede ser una joya cuando la necesites.

Tensiones en la relación

Las primeras semanas después del parto pueden ser tan estresantes como el comienzo del embarazo. Tienes que cuidar a un bebé que no distingue la noche del día, y la vida puede parecer una serie de sentimientos contradictorios: amor con miedo, orgullo con dudas. Todo el mundo te da consejos, pero las cosas no encajan bien y cuesta mucho aprender. Todo puede resultar abrumador.

Si has tenido un parto difícil es aún más importante que tu pareja y tú os apoyéis el uno al otro en los días siguientes. Necesitáis daros tiempo para recuperaros.

Incluso un parto normal puede ser desconcertante para un hombre si no sabe qué está ocurriendo y se siente incapaz de ayudar. Las cosas que para el personal sanitario son rutinarias y a ti te parecen triviales pueden afectarle profundamente.

Un parto asistido, o una cesárea de emergencia en la que no hay tiempo para explicar qué ocurre, puede ser una experiencia traumática para todo el mundo por bien preparado que esté. Aunque tu pareja intente mostrarse segura y positiva se puede sentir impotente y aterrado por ti y por el bebé. Después del parto es muy probable que esté agotado y necesite que le reconforten.

Algunos hombres adoptan el papel de duros y fingen ser fuertes cuando en realidad también necesitan apoyo. Puede que no les preocupen los efectos a largo plazo de un parto difícil para ti y para tu bebé; pero de vez en cuando están tan alterados que eso afecta a la relación y puede crear problemas en las relaciones sexuales o la decisión de tener otro hijo.

Mientras a algunas personas les resulta difícil hablar de una experiencia angustiosa, para otras es un alivio. Depende de las necesidades personales. Si quieres hablar de tu experiencia pero tu pareja no, merece la pena plantearlo abiertamente para evitar un conflicto. Muchas mujeres hablan de su parto con su comadrona, una monitora o una amiga comprensiva.

La mayoría de los padres esperan ser útiles, pero la vida cambia para ellos tanto como para las madres cuando llega un bebé. Necesitan tiempo para encontrar su nuevo lugar en la familia y a veces les cuesta adaptarse. Si tu pareja se siente desplazada puede deprimirse, estar irritable, ansioso o dormir mal, pero puede expresarlo de otro modo, por ejemplo bebiendo mucho, siendo agresivo o antisocial o trabajando más para ocultar que se siente vacío o desconectado.

El cansancio potencia la depresión, y el cuerpo no se puede recuperar sin descanso; si tienes esto en cuenta en las semanas posteriores al parto podrás mejorar tu relación.

Pérdida de sueño

El sueño está relacionado con la salud y la energía y, por lo tanto, todo el mundo se siente mal cuando no duerme lo suficiente. Si tus padres te mimaban cuando estabas cansada de pequeña el sueño puede ser una promesa de placer; si le daban mucha importancia y no te permitían nunca quedarte levantada en ocasiones especiales, no dormir puede resultar amenazador.

Los trastornos de sueño sólo se convierten en un problema si alteran seriamente tu vida y estás agotada todos los días o tan somnolienta que afecta a tus actividades. No necesitas noches ininterrumpidas para dormir lo suficiente porque varios ratos pueden compensar una sesión completa; pero necesitas descansar más si pierdes sueño con regularidad. Si te despiertas dos o tres veces por la noche para dar de comer a tu bebé y pierdes una hora de sueño, eso es lo que debes recuperar al día siguiente.

Tu ritmo de sueño básico y cuánto tiempo necesitas para sentirte bien se establece antes del parto. El sueño normal se mezcla con los ritmos circadianos de tu cuerpo, que varían a lo largo del día. Suelen ser más bajos entre las 3 y las 4 de la mañana (justo a la hora que te despierta un bebé hambriento) y a media tarde. Si ya duermes poco es posible que te cueste mantener los ojos abiertos, una clara advertencia de que necesitas descansar más.

Los estudios indican que una hora más de sueño por la noche elimina el bajón de la tarde, pero una siesta de diez minutos también sirve. Acurrúcate con un libro en el sofá, o deja a tu bebé en la cuna o en un parque si vas a echar una cabezada. Las siestas exigen cierta práctica, pero la capacidad de desconectar el cuerpo y la mente es muy valiosa para recuperarse después de una noche con interrupciones o para volver a dormir por la noche (véase «Relajación», p. 156).

Todo el mundo tiene su propio nivel de energía natural, y la mayoría de la gente duerme mal cuando está muy cansada. Para recuperarse después de una noche alterada tu cuerpo sólo nece-

Cómo dormir mejor

- Si tienes una cama incómoda piensa en reemplazarla; pasarás mucho tiempo en ella.
- A algunas personas un paseo de veinte minutos antes de ir a la cama les ayuda a dormir.
- Dormir bien puede ser mejor para vuestra relación que dormir juntos. Intenta hacer turnos de noches alternas con tu pareja, o dormid separados entre semana y juntos los fines de semana.
- Adapta la ropa de la cama o abre una ventana para conseguir la temperatura más adecuada para ti y ten una botella de agua y unas cuantas galletas en la mesilla de noche.
- Las relaciones sexuales insatisfactorias pueden provocar insomnio. Si estás demasiado cansada para disfrutar del sexo al final del día intenta buscar un momento mejor con tu pareja.
- Evita hablar de temas conflictivos con tu pareja antes de ir a la cama. Recordar situaciones o preocupaciones puede impedirte dormir.
- Ten a mano una libreta y un bolígrafo para escribir los problemas. Dite a ti misma: «Me ocuparé de esto en el momento oportuno». Cuando se ha identificado un problema es más fácil buscar tiempo para ocuparse de él.
- Si pasas una noche razonable consulta a tu médico de cabecera para asegurarte de que no tienes un problema de tiroides o una anemia que pueda hacer que te sientas cansada.

sita entre un tercio y la mitad del sueño perdido durante un par de noches de sueño profundo. Después de dos o tres noches de sueño interrumpido puede que no te sientas en plena forma, pero tu salud a largo plazo no sufrirá. Cuando estés exhausta dormirás, y después de recuperarte tendrás reservas para afrontar la siguiente fase de tensión o pérdida de sueño a corto plazo.

Si no quieres complicarte la vida con las tomas nocturnas dale a tu bebé lo suficiente para que se quede satisfecho y no se acostumbre a sentirse lleno en mitad de la noche; y no le cambies el pañal por la noche si no es absolutamente necesario. Si tu bebé está irritable intenta reducir el té y el café; los estimulantes que contienen pasan a la leche materna.

Dar pecho cuando el bebé lo pide resulta fácil al principio, pero no tiene que durar para siempre. En dos o tres meses se puede animar a la mayoría de los bebés a espaciar las tomas diurnas y dejar las nocturnas. Ponte objetivos flexibles: distrae a tu bebé durante media hora si se despierta pronto para una toma, y por la noche espera de diez a veinte minutos para ver si se vuelve a dormir o intenta calmarle sin darle de comer. Los bebés con cólicos u otros problemas suelen comenzar a calmarse a partir del tercer mes.

Puedes afrontar una tarea que exija un esfuerzo físico si te lo tomas con calma, descansas de vez en cuando y duermes lo suficiente para recuperar fuerzas. Sin embargo, si ignoras las señales de tu cuerpo durante demasiado tiempo el cansancio físico se puede convertir en cansancio emocional.

La solución es descansar más, pero a algunas mujeres les resulta difícil. Si tus padres estaban siempre ocupados cuando eras pequeña es posible que te sientas improductiva y culpable cuando no haces nada. Si valoraban la buena voluntad puedes asumir más responsabilidades porque crees que estar demasiado cansada no es una buena excusa para rechazarlas.

La rutina se convierte en un esfuerzo, así que haces menos y te sientes peor. Tu nivel de forma física disminuye y cada vez estás más cansada. Este tipo de cansancio es una sensación auténtica, pero está potenciado por la mente y no se alivia descansando más. Hace que te sientas desesperada e impotente y suele estar relacionado con el aburrimiento, la ansiedad o la depresión.

Nubes negras

Reconocer que te sientes en baja forma es especialmente difícil si eres de esas personas que normalmente puede con todo o si tus principios culturales o religiosos hacen que sientas que ser «una buena madre» nunca es suficiente. Es fácil aceptar los sentimientos de estrés o depresión como un problema personal cuando en realidad pueden estar causados por el comportamiento de otros: un bebé que no deja de llorar, por ejemplo, o recibir muy poca ayuda de tu pareja.

Si la decepción, la ira o la culpa sin resolver asociadas a tu experiencia del parto te impide disfrutar de la vida, cuanto antes lo arregles mejor. Algunas personas encuentran por sí mismas la manera de conseguirlo; otras descubren que con ayuda profesional en el momento oportuno los sentimientos negativos no se arrastran durante meses.

Aunque no puedes obligarte a ti misma a sentirte de otro modo, procura no acabar envuelta en una nube tan negra que te impida ver la salida. En cuanto te des cuenta de que algo no va bien tómate los síntomas en serio y busca ayuda sin esperar que las cosas se resuelvan solas (véase «Guía rápida: Enfermedades posnatales», p. 232).

No estás loca, ni eres una fracasada ni una mala madre. No mereces sentirte como te sientes. Simplemente necesitas ayuda. Todo el mundo necesita ayuda a veces.

¿Podría ayudar un profesional?

Si has intentado resolver algo por ti misma sin éxito, considera la posibilidad de buscar ayuda profesional. Elige la respuesta adecuada para cada síntoma y suma los puntos correspondientes.

¿Con cuánta frecuencia es un problema?
a) Todos los días, o todo el tiempo.
b) Una o dos veces a la semana.
c) Una vez al mes o de vez en cuando.

¿Cuánto te afecta?
a) Afecta a todo lo que hago.
b) Sólo me preocupa en ese momento.
c) Raramente me impide disfrutar de la vida.

¿Hace cuánto tiempo que lo tienes?
a) Varias semanas o meses.
b) Unas dos semanas.
c) Acaba de comenzar.

Puntos: a = 5; b = 3; c = 1.
Cuanto más se acerque tu puntuación a 15 (el máximo) más posibilidades tienes de beneficiarte de la ayuda de un experto.

Reflexiones sobre el parto

Asumir el control puede proporcionar un gran poder, pero tienes que controlarlo todo: el dolor y la alegría, lo bueno y lo malo. Curiosamente, puede desorientarte tanto conseguir el parto que querías como que tus esperanzas se desvanezcan. Cuando tu sueño se ha hecho realidad y desparece la emoción de la expectación, ¿qué ocurre después?

Sin embargo, si el parto te decepciona pierdes las esperanzas, y con ellas la confianza y tal vez un poco de autoestima. Algunas mujeres se alegran tanto de tener un bebé sano que reprimen su ira o su decepción por lo que ha ocurrido. Meses después, cuando una amiga tiene un parto maravilloso o vuelven a quedarse embarazadas, de repente se dan cuenta de lo frustradas y engañadas que se sienten por no haber tenido el parto que querían.

Como con cualquier otra pérdida, tienes que sentir y afrontar el dolor de la decepción hasta que puedas aceptar la experiencia y seguir adelante. Nada puede garantizar que un parto sea normal. Puedes hacer planes y albergar sueños, pero tu cuerpo o tu bebé pueden tener otras ideas.

Algunas mujeres se culpan a sí mismas por permitir que otros decidan por ellas, pero aunque seas asertiva normalmente en el parto eres vulnerable, y el equilibrio de poder siempre está a favor de la opinión profesional. A no ser que el médico o la comadrona te incluyan puede resultar difícil cuestionar su decisión. No es justo que te culpes por no enfrentarte a ellos. Reconoce tu mérito por hacer lo mejor dadas las circunstancias. Nadie puede cambiar la política de un hospital sin ayuda mientras está soplando durante las contracciones en medio del parto.

Otras creen que deberían haber sido más flexibles, pero esto no es siempre tan fácil como parece. Tu cerebro sabe que los planes mejor elaborados deben cambiar en función de las circunstancias, pero tu corazón sigue insistiendo cuando te enfrentas a la situación que querías evitar. Es difícil renunciar a los sueños.

Puedes estar enfadada porque el personal hiciera algo o no, pero la gente sólo puede tomar decisiones con la información de que dispone en ese momento. La mejor línea de acción no está siempre clara si no se ve de forma retrospectiva. Lo que parecía mejor puede haber salido mal, pero no sabes a qué dificultades habrías tenido que enfrentarte si se hubiera tomado una decisión diferente.

Una experiencia decepcionante puede no tener nada que ver con cómo afrontaras el parto; es posible que no sea culpa de nadie. La respuesta a la pregunta «¿Por qué me ha ocurrido esto a mí?» puede ser «Has sacado la paja más corta, como le podría haber ocurrido a cualquiera».

¿Qué ha ocurrido?

La mayoría de las mujeres necesitan saber exactamente qué ha pasado y por qué para afrontar las emociones que le ha producido. Si aprendes de una experiencia decepcionante puedes convertirla en positiva; si comprendes qué ha sucedido es más probable que seas capaz de archivarlo y seguir disfrutando de la vida. La explicación puede estar en la forma de tu pelvis, la posición de tu bebé o una intervención bienintencionada que ha conducido a un problema imprevisto. Es probable que alguien te haya fallado, que el sistema te haya defraudado o que tú hayas determinado tu fracaso inconscientemente.

Si no te ofrecen una sesión informativa antes de abandonar el hospital después de un parto complicado o traumático puedes solicitarla tú misma. Revisar lo que ha ocurrido para comprender las razones puede tranquilizarte o ayudarte a aceptar la experiencia. Sin embargo, si estás enfadada o decepcionada por la actitud de alguien, incluso pensar en el parto puede ser insoportable. Es posible que sólo quieras seguir cuidando de tu bebé. Pueden pasar varias semanas antes de que te sientas preparada para buscar respuestas o afrontar tu experiencia.

Resulta tentador posponerlo y continuar con tu vida, pero a largo plazo saber qué ha ocurrido y que reconozcan tu sufrimiento puede ayudarte a dejar atrás una experiencia. En cuanto te sientas capaz, pide al hospital una reunión y una copia de tu expediente (véase «Cómo plantear una queja», p. 226). En él se detalla qué ocurrió en el parto, y podría ayudar a quienes te aconsejen en el futuro.

Puedes solicitar una copia de tu expediente o una reunión para hablar de tu parto en cualquier momento, incluso muchos meses después del parto. Intenta hablar con una comadrona que pueda explicártelo o pide una cita con el especialista.

Escuchar tu versión de la historia puede ayudar a un médico o una comadrona a ser conscientes del efecto que puede tener una actitud autoritaria o un comentario inoportuno para evitar hacer daño a otras mujeres. Cualquiera puede cometer un error o pensar que tendría que haberse mordido la lengua o haber tomado una decisión diferente. Cuando hay una lección que aprender hace falta sinceridad y aceptación por parte de todos, pero eso significa que se puede sacar algo valioso de una experiencia negativa.

Sin embargo, a los profesionales de la salud que se enfrentan a las críticas les suele resultar difícil ver el problema desde otro punto de vista. Seguros de su postura o nerviosos porque les denuncien si reconocen algún error, a veces se ponen a la defensiva o intentan apaciguarte sin escuchar realmente lo que estás diciendo.

Si te preocupa que te engañen con unas palabras tranquilizadoras cuando lo que quieres es información, lleva una lista de preguntas e intenta conseguir respuestas que te ayuden a tomar futuras decisiones. Revisa el apartado sobre la asertividad (p. 146) antes de la reunión. Piensa en tu lenguaje corporal: la gente puede malinterpretar tus sentimientos si haces comentarios negativos o tienes una animada sonrisa en la cara.

Si algo va mal durante el parto todo el mundo se queda desolado. Los padres creen que los profesionales no han hecho las cosas bien; el personal se culpa a sí mismo por no insistir en que se siguieran sus consejos. La verdad es que si hubiera habido una indicación clara de lo que iba a suceder todo el mundo habría actuado de un modo diferente. Las situaciones sólo se ven con claridad de forma retrospectiva.

Para superar una mala experiencia debes reconocer que es posible que nunca la superes por completo; aunque puedas seguir adelante, nadie puede retrasar el reloj ni agitar una varita mágica. En última instancia tienes que aceptar cómo ha sido el parto para ti.

La curva del aprendizaje

Si tu parto ha sido decepcionante el siguiente será un nuevo comienzo, una experiencia diferente, una ocasión para aprender del pasado sin permitir que determine el futuro. Tienes que buscar tus propias respuestas, pero para empezar podrías considerar lo que crees que fue un error en tu último parto. Intenta verlo como una oportunidad de aprendizaje para que no vuelva a suceder.

Pregunta a una amiga íntima que tenga hijos qué habría hecho de otro modo en otra ocasión, o qué cree que le ayudó. Puede afirmar que tuvo suerte si su parto fue bueno, o encomiar a otras personas si fue difícil; pero ve más allá: ¿cómo creó su suerte, eligió a su comadrona o a su pareja de parto o controló su miedo?

Si has tenido una experiencia difícil o decepcionante es posible que necesites más apoyo cuando tengas otro bebé, pero si un parto posterior va bien puede ser el mejor remedio para curar tus heridas. Al enfrentarte a tu experiencia previa te convertirás en una persona más fuerte y te conocerás mejor a ti misma. Utiliza esos recursos.

Es probable que sepas más sobre tu pareja, los servicios disponibles y cómo acceder a ellos. Puede que hayas aprendido a no dejar las cosas al azar, a valorar tu instinto o a hacer más preguntas. Puedes ser capaz de establecer un objetivo más realista teniendo en cuenta qué es lo mejor para tu bebé y para ti en vez de aferrarte a un sueño.

A veces hace falta más de un parto para conseguir lo que quieres simplemente porque no tienes los conocimientos necesarios; o porque la niña que hay en ti tiene miedo y necesita reunir el valor para hacer lo que debe hacer. Cuando estés preparada desaparecerán los obstáculos; y con la resolución de no dejarlo todo al azar estarás en una situación mejor para conseguir el parto que quieres la próxima vez.

Cómo afrontar la decepción

- No pasa nada porque estés enfadada o decepcionada: los sentimientos no son ni buenos ni malos; simplemente expresan una emoción que existe.
- Busca a alguien que te escuche y acepte cómo te sientas, que no ignore lo que digas. Puedes tardar un tiempo en encontrar las palabras que necesitas para expresar tu experiencia y cómo te sientes respecto a ella. Sigue intentándolo.
- Intenta no culparte por ser poco realista sobre el parto; todo el mundo aprende algunas cosas de esta manera. La autocrítica sólo hace que resulte más difícil librarse del miedo.
- Busca una buena comadrona o una instructora prenatal que te ayuden y te apoyen si tienes otro bebé. Tienes derecho a mantener un sueño y a reconstruirlo si lo deseas.

Cómo plantear una queja

Muchas mujeres no quieren hacer una queja formal sobre su tratamiento. Simplemente quieren comprender qué ha ocurrido. Si han sufrido por algo que se podría haber evitado quieren que se tenga en cuenta para que no vuelva a suceder. Quieren ser tratadas con respeto, que les den explicaciones y que reconozcan sus sentimientos. Lamentablemente, esto no ocurre siempre.

Los pleitos son estresantes para todos los afectados, y no interesan a nadie si un conflicto se puede resolver de otro modo. Sin embargo, si crees que no vas a llegar a ninguna parte, o quieres evitar que otras mujeres pasen por una experiencia similar, podrías considerar la posibilidad de plantear una queja formal. Puede ser un trabajo agotador, pero a veces es la única manera de cambiar prácticas y actitudes desfasadas o de enderezar las cosas. Cambiar lo que suceda en el futuro puede proporcionar cierto alivio.

Inmediatamente después de un parto decepcionante muchas mujeres se sienten vulnerables y quieren olvidarse del incidente. Quieren seguir recuperándose y cuidando de su bebé; pero si crees que te podría interesar quejarte más adelante comienza a tomar medidas lo antes posible. No estás obligada a continuar, pero es más fácil retirar una queja que iniciarla tiempo después, cuando han podido trasladar al personal o los plazos están a punto de expirar.

El Servicio de Información Sanitaria puede proporcionarte más detalles sobre el procedimiento; si necesitas información o apoyo ponte en contacto con una organización especializada. Éstos son los pasos principales a seguir:

- Anota o graba todo lo que recuerdes del incidente. Esto es más fácil poco después del parto que cuando han pasado varias semanas.
- Pide copias de todos tus informes, incluidos los del médico de cabecera, y cualquier registro informático tuyo y de tu bebé.

- Envía una carta preliminar diciendo que quieres hacer constar que piensas quejarte por la atención que has recibido y que plantearás la queja a su debido tiempo.

Tus recuerdos

Registra cuanto antes y con la máxima precisión posible todo lo que recuerdes: fechas, horas, quién estaba allí, quién dijo qué, cómo te sentiste. Pide a tu pareja de parto o a cualquier otra persona que estuviera allí que hagan lo mismo. Compara esto con tu expediente; el personal implicado puede recordar lo sucedido de un modo diferente.

Expediente médico

Consigue tus informes antes de mencionar nada sobre una queja. No tienes que decir para qué los quieres; a veces desaparecen misteriosamente o se alteran las entradas cuando se sabe que puede haber una queja. Si pides tus informes durante el embarazo o cuarenta días antes de la última entrada sólo tendrás que pagar las fotocopias y los gastos de envío. Después puede haber una tarifa administrativa.

Carta preliminar

Si quieres plantear una queja más adelante esto pondrá en marcha el procedimiento. Puede que no te apetezca continuar hasta que te recuperes por completo del parto, o que quieras pasar los primeros meses cuidando de tu bebé. Por lo tanto, esta carta preliminar es importante para evitar que la queja se registre fuera de plazo. Guarda copias de toda la correspondencia.

Vuelta a la normalidad

La maternidad es gratificante, pero los primeros meses pueden ser muy duros, así que piensa en tu bienestar tanto como en el de tu bebé. La comida basura y el cansancio potencian la depresión, y tu cuerpo no se puede curar sin dormir. Descansar para recuperar el sueño perdido debería ser una de tus prioridades. Una forma de vida sana te ayudará a volver a la normalidad.

- El té y el café pueden limitar la absorción de hierro y provocar una anemia. Bebe agua, zumos de fruta o infusiones. Dos tazas al día de menta con un trozo de raíz de jengibre rallado pueden darte vitalidad.
- Para una recuperación rápida, mezcla un vaso de leche con dos cucharadas de yogur natural y un plátano; o un vaso de zumo de naranja con seis albaricoques secos y una cucharadita de miel. Si añades una cucharadita de levadura te aportará más vitamina B.
- Si tu dieta incluye abundantes frutas, verduras y cereales integrales, como arroz y pan integral, conseguirás de forma automática nutrientes como vitaminas B_1 y C, que ayudan a combatir el cansancio.
- Da un paseo rápido todos los días con tu bebé en un cochecito o una silla. Puede ayudarte a dormir mejor y libera hormonas que levantan el ánimo.
- Únete a un grupo o mantén el contacto con tus amigas por teléfono, carta o e-mail. Hacer un esfuerzo para buscar nuevas amistades e intereses también puede ayudarte (véase «Páginas web», p. 253).
- Tómate las cosas con calma; espacia los compromisos como una comida con una amiga fijando una fecha con dos o tres semanas de antelación, aunque tu agenda no esté llena.
- Disfruta de tu bebé y cuida de ti y de tu pareja; y date un respiro.

En resumen

- Los dolores y los problemas posnatales no siempre necesitan ayuda médica; puedes probar con métodos de autoayuda o terapias complementarias.
- Si crees que necesitas ayuda profesional búscala inmediatamente en vez de esperar a que el problema se resuelva solo.
- Si tu parto fue decepcionante habla con el personal que te atendió para intentar comprender la razón del problema.
- Sea cual sea el parto que quieres ten en cuenta que puedes ayudarte a ti misma y que hay gente que te ayudará. Si recuerdas tu parto con satisfacción habla con otras mujeres de tu experiencia. Escuchar tu historia les ayudará.

GUÍA RÁPIDA: TERAPIAS COMPLEMENTARIAS

Las esencias de aromaterapia, los preparados de hierbas y los remedios homeopáticos se pueden adquirir en farmacias. Pueden tener efectos secundarios, así que utiliza la mínima dosis recomendada para ver cómo te va y auméntala si es necesario. Si tienes alguna duda o estás dando el pecho consulta al farmacéutico o a un terapeuta cualificado. Algunos remedios se deben recetar personalmente.

- **Puntos dolorosos**

Aromaterapia: baña la zona con tres gotas de aceite de pachulí o arbol del té en un cuenco de agua tibia, o echa tres gotas de aceite de lavanda y ciprés en un baño poco profundo.

Hierbas: aplica crema de caléndula o Hypercal directamente en la herida; para prevenir infecciones, echa dos litros de agua hirviendo sobre 120 gramos de aquilea, romero o hamamelis; déjalo reposar ocho horas, cuélalo en un cuenco poco profundo y siéntate en él durante quince minutos todos los días.

Homeopatía: prueba árnica seguida de caléndula durante cinco días o alterna dosis de Arsenicum album y Hepar Sulph. Para el dolor ardiente prueba Causticum 30 dos veces al día durante cuatro días.

- **Depresión**

Aromaterapia: la salvia y la bergamota alivian la depresión; los aceites de geranio, pomelo, mandarina, neroli y rosa levantan el ánimo. Echa dos o tres gotas (por separado o mezcladas) en un esenciero, de cuatro a seis gotas en el baño y hasta cinco gotas por cada cucharada de aceite vegetal para dar masajes.

Hierbas: toma una infusión de melisa con leche y miel todos los días durante dos semanas. También pueden ayudar el cardo bendito (hasta veinte gotas de tintura de dos a cuatro veces al día) y la hierba de San Juan.

Homeopatía: prueba licopodio, carbonato cálcico, sepia, Kali Phos o Nat Mur.

- **Dolores de cabeza**

Aromaterapia: mezcla una gota de aceite de menta, tres gotas de lavanda y una gota de aceite vegetal y date un masaje en las sienes o la base del cráneo; echa seis gotas de cada aceite en un cuarto de litro de agua y empapa una compresa para ponértela en la frente.

Hierbas: haz una infusión con iguales cantidades de melisa, lavanda y ulmaria, o echa dos clavos en una taza de té.

Homeopatía: los remedios para diferentes tipos de dolor de cabeza incluyen Hypericum, Nat Mur y Kali Bich.

- **Insomnio**

Aromaterapia: pon una gota de lavanda, neroli o salvia en la almohada, o dos gotas de manzanilla y lavanda en un esenciero.

Hierbas: echa un puñado de amapola de California o saúco sabugo en medio litro de agua hirviendo y cuela la infusión en un baño caliente al cabo de treinta minutos; o toma una taza pequeña de manzanilla con leche y miel antes de ir a la cama.

Homeopatía: para el agotamiento nervioso causado por la falta de sueño, prueba Kali Phos o comprimidos Nelson's Noctura (se venden en farmacias).

GUÍA RÁPIDA: ENFERMEDADES POSNATALES

- La **depresión posparto** afecta aproximadamente a un 10 por ciento de las mujeres poco después del parto o varias semanas e incluso meses más tarde. Es una sensación de estar aislada de todo el mundo y ser incapaz de ayudarte a ti misma. Puedes estar irritable, llorar con facilidad o sonreír exageradamente; ser incapaz de dormir incluso cuando tu bebé duerme o tener miedo a aceptar invitaciones y esconderte si llama alguien. Puedes perder el interés por la vida, sentirte abrumada por las tareas cotidianas o apegarte a una rutina estricta como si fuera un colchón de seguridad. Si los síntomas duran más de dos semanas consulta a tu médico de cabecera.
- Los **trastornos de ansiedad** incluyen ataques de pánico (te aterra que tu bebé llore, por ejemplo), pensamientos o comportamientos compulsivos (limpiar incesantemente por temor a los gérmenes) o una leve ansiedad constante (como un cosquilleo en el estómago) cuando tienes más presión de la que eres capaz de soportar. Estos trastornos pueden estar enmascarados por la depresión, porque la angustia emocional hace que te sientas mal. Si el apoyo añadido no alivia los síntomas pide a tu médico de cabecera que te remita a un psicólogo clínico para una terapia cognitiva.
- El **estrés postraumático** está relacionado con sufrir un dolor excesivo o sentirse impotente, ignorada o desinformada. Hasta un 2 por ciento de las mujeres tienen pesadillas, alteraciones del sueño o recuerdos del parto. Algunas mujeres lo afrontan mejor solas, pero si los síntomas duran más de un mes o reaparecen cuando creías que lo habías superado habla con tu médico de cabecera.
- La **psicosis puerperal** sólo afecta a una mujer de cada mil. Ocurre poco después del parto, así que las hormonas pueden influir. Las pacientes típicas son hiperactivas o tienen cambios de humor extremos, delirios o alucinaciones. Tu médico de cabecera te prescribirá un tratamiento, que puede incluir una estancia en el hospital. La mayoría de las mujeres se recuperan bien.

Capítulo 9

Experiencias personales

Las mujeres que hablan de su parto en este capítulo no se definirían a sí mismas como singulares en ningún sentido. Han tenido todo tipo de experiencias, desde profundamente satisfactorias hasta inesperadamente traumáticas, pero tienen en común una fuerza interior potenciada por el nacimiento de sus hijos. Donde pudieron controlaron su experiencia; donde no pudieron aprendieron de ella.

Nunca deja de sorprenderme el valor que las mujeres ponen en la experiencia del parto. Se convierten en personas diferentes, más fuertes y resilientes, capaces de asumir la responsabilidad de criar a un niño. Una mujer me dijo: «Fue una experiencia tremendamente enriquecedora que me ha ayudado a ser la defensora de mi hijo». Éstas son sus historias:

Dejándose llevar

Angela Hopper (33) es reflexóloga y madre de Elsa (2 ½) y Rosie (3 semanas). Durante sus viajes vivía con los indígenas y asistía a ceremonias para celebrar el nacimiento de bebés de tan sólo una hora. Esto le ayudó a formar su percepción del parto.

Quería que el parto de Elsa fuera una experiencia personal, así que me relajé, medité y leí sobre partos activos y en el agua. No estaba asustada; simplemente confiaba en que todo saldría bien. El proceso del parto es completamente natural y en casa se puede desarrollar con toda normalidad.

Mi pareja, Gareth, me apoyaba porque sabía que estaba bien preparada y confiaba en mí misma. No era un capricho. Mi médico de cabecera me dijo que estaba loca al querer parir en casa: si ella viviera en el campo se trasladaría a un hotel cercano al hospital dos semanas antes de salir de cuentas. A mí eso me parecía ridículo y estaba decidida a no dejarme condicionar por los temores de los demás.

La mayoría de las comadronas pensaban que tenía una visión muy romántica del parto y decían que debería ir al hospital para tener a mi primer bebé, pero nadie me daba una razón médica. Al final respetaron mi decisión y me apoyaron.

El parto fue una experiencia maravillosa porque mantuve el control todo el tiempo. Pasé alrededor de dos horas en la piscina para partos y di a luz a Elsa de pie, agarrada al borde y riéndome. Fue exactamente como había imaginado, y me sentí orgullosa de haber confiado en mí misma y no haberme dejado influir por nadie. Hubo éxtasis, una gran alegría y admiración porque lo habíamos hecho todo nosotras. Esa sensación duró casi un año.

Adoraba a Elsa porque me había ayudado, había colaborado conmigo. Cuando todo el mundo se marchó empezó a toser y a quejarse, y mi instinto me dijo que debía llamar a una ambulancia. Al final resultó que ella estaba bien; la que necesitaba un tratamiento de emergencia era yo. Me hicieron una transfusión de sangre y me dijeron que había tenido mucha suerte; si me hubiese dormido podría haber perdido el conocimiento. Elsa me salvó la vida.

El parto de Rosie fue totalmente diferente. Me encontré con más oposición por la hemorragia y una estreptococia. El especialista dijo que necesitaría antibióticos por vía intravenosa durante el parto y que no se podían administrar en casa. Yo pensé: «Vamos a investigar otra vez».

El servicio de información sanitario confirmó que me podían dar antibióticos por vía intravenosa en casa. Luego conocí a una mujer que había tenido un parto en casa con antibióticos orales para la estreptococia y me puso en contacto con su médico, que estaba investigándolo y creía que los antibióticos orales eran eficaces. Mi comadrona dijo que ésa no era la política del hospital local y que no podían seguir sus pautas sin evaluar la investigación, pero acabaron determinando la mejor dosis oral para mí.

Parecía que me bombardeaban con un problema tras otro. A una comadrona le preocupaba la hemorragia que había tenido cuando nació Elsa. La siguiente decía que eso no era ningún problema, pero le preocupaba que el bebé fuera grande y no pudiera tener un parto normal. Era como si estuvieran conspirando contra mí.

Empecé a ponerme paranoica porque todo el mundo excepto Gareth me desanimaba. Perdí la confianza en mi cuerpo, no por la hemorragia, sino porque asumí las ansiedades de los demás. Pasaban tantas cosas que no tenía tiempo para relajarme y ver la situación con perspectiva. Gareth tenía mucho trabajo y ninguno de los dos era capaz de centrarse en el parto.

Elsa había llegado a tiempo. Rosie estaba ya dos semanas fuera de cuentas. La piscina para partos se encontraba en una esquina de la habitación, esperando para llenarla. Puede que no estuviera preparada para dar a luz por el estrés acumulado; o que mi instinto me dijera que debía tener a Rosie en el hospital. La vez anterior no tenía ninguna duda de que iba a parir en casa, pero esta vez no lo tenía claro. No podía echarme atrás y convencerme a mí misma de que todo saldría bien, ni imaginar teniéndola en casa.

Tres semanas después de salir de cuentas me rompieron las aguas en el hospital. Menos de una hora antes de que Rosie naciera en la piscina estaba sentada en el jardín del hospital disfrutando del sol. Llegó tan rápida que me quedé paralizada y fuera de control. Después no hubo ninguna hemorragia y me recuperé enseguida. Pero no podía creer que Rosie hubiera llegado.

Cómo vaya un parto depende en parte de cómo estés tú. Se trata de sentirse bien con todo para ser capaz de dejarse llevar.

Afrontando el pasado

Cindy Herraman-Stowers (35) es una ejecutiva que tuvo que superar unas experiencias médicas traumáticas para tener a su hija, Isabella.

Quedarme embarazada fue una decisión muy importante para mí, y sabía que necesitaría evitar mucha angustia emocional, así que era esencial que me organizara bien desde el principio. Antes de seguir adelante concerté una cita con mi médico de Australia y llevé unas cuarenta preguntas sobre diferentes tipos de parto. Quería saber exactamente qué suponía cada uno.

Hablamos del parto natural, de la epidural y de la cesárea. Sabía que no podría soportar una epidural; cuando tenía quince años me hicieron una punción lumbar que fue una experiencia horrorosa. Y si decidía tener un parto natural estaría nueve meses preocupada por la posibilidad de acabar con una epidural.

Entonces estaba ya embarazada y necesitaba desesperadamente controlar de algún modo una situación básicamente incontrolable. Concerté una cita con una doctora que me conocía bien porque me había atendido por un problema ginecológico. Hablamos de cómo podría responder mi cuerpo y de lo que sentía respecto al parto, y me recomendó una cesárea electiva con anestesia general.

En ese momento mi marido, Mark, y yo nos enteramos de

que teníamos que trasladarnos de Australia al Reino Unido. No tenía ni idea de lo que ocurriría allí, pero mi tocólogo conocía a un médico de cabecera que vivía cerca de donde íbamos a ir. Ese golpe de suerte me ahorró tener que buscar los contactos adecuados cuando llegué al Reino Unido.

El médico de cabecera me remitió de forma privada a una tocóloga del hospital local y me preparé para la primera reunión escribiendo todas mis preguntas, porque sabía que cuando la viera estaría nerviosa y se me olvidarían muchas cosas. Es posible que mi caso fuera lo bastante grave como para conseguir lo que quería en el sistema sanitario público, pero podía permitirme el lujo de ir a una consulta privada y eso me ayudó a llevarlo mejor.

Tras decidir que una cesárea con anestesia general no era negociable expliqué mi postura y todo el mundo reconoció que sabía lo que quería. La tocóloga accedió a compartir mi asistencia con un centro maternal privado. Si no hubiese estado preparada para aceptarme habría ido a otro sitio o habría vuelto a Australia para tener el bebé.

En un momento difícil o ansioso la gente necesita privacidad y dignidad, y yo quería que Mark estuviera conmigo para construir la unidad familiar, así que pregunté qué debía hacer para conseguir una habitación privada. Básicamente dije: «Esto es lo que estoy buscando y éstas son mis razones. ¿Cómo puedo conseguirlo?». Expuse mis motivos y no hicieron que me sintiera ridícula en ningún momento.

Todo el mundo me apoyó y nadie intentó llevarme por donde no quería ir, así que desde el principio me sentí en paz. Establecí una relación con la tocóloga y las comadronas y confié en que fueran sinceras conmigo y comprendieran cómo me sentía.

Durante los primeros meses de embarazo aún lloraba por las noches pensando en la operación, pero sabía lo que ocurriría y hablaba mucho de lo que me asustaba. Eso me ayudó a mantener la sensación de control.

El parto fue mejor de lo que esperaba, y algunas de las cosas que pensaba que serían angustiosas por mi experiencia previa fueron bien. Isabella nació a las nueve de la mañana. Para las seis de la tarde me dijeron que podían quitarme el catéter y el goteo si no los soportaba, pero los mantuve hasta la mañana siguiente, todo un logro para mí.

Pasé una noche en el hospital y luego estuve unos días en el centro maternal. Allí comencé a reaccionar y lloraba cuando Isabella no dormía y me sentía aliviada cuando por fin se dormía.

Tener un bebé es un gran acontecimiento, y hacerlo a mi manera nos dio una gran paz mental. Nos costó lo que habríamos gastado en unas vacaciones especiales, pero mereció la pena. Me enfrenté a mi experiencia anterior y me siento muy orgullosa de mí misma. De ese modo establecimos una buena base para construir nuestra familia.

Cambio de planes

Jane Lamer (29) es asesora de formación y desarrollo. Estaba decidida a dar a luz como quería sin dejarse condicionar por nadie.

Durante el embarazo leí mucho, consulté un montón de páginas web, hablé con cualquiera que hubiera tenido un parto natural y pudiera darme consejos y fui a clases prenatales. Hice una «entrevista» a mi comadrona con una lista de preguntas. Establecimos una buena relación, pero si no me hubiera apoyado habría intentado buscar a otra persona. Básicamente quería dar a luz a mi manera.

Rompí aguas antes de que Aidan tuviera la cabeza encajada y me dijeron que fuera directamente a la unidad especializada del hospital local, lo cual amenazaba mis planes de tener un parto en el agua en el centro maternal. Cuando llegué estaba muy alterada y lancé toda la artillería al explicar lo que no estaba dispuesta a hacer. La comadrona dijo amablemente que no podía obligarme a hacer nada en contra de mi voluntad y que no lo intentaría, así que me relajé y acepté que me monitorizaran durante veinte minutos sin apartar la vista del reloj.

Como estaba dilatada de cinco centímetros y todo iba bien pedí que me trasladaran al centro maternal como estaba previsto, pero después de catorce horas entrando y saliendo de la piscina para partos Aidan seguía teniendo la cabeza muy alta y mi cérvix no se dilataba. Estaba muy enfadada, pero comprendía por qué tenía que volver a la unidad principal.

Quería un parto natural y las comadronas me ayudaron a intentar todo lo posible. Tienen que seguir unos protocolos, así que me dijeron lo que querían hacer y yo les dije si podían hacerlo o no. Fui capaz de hablar de todas las opciones y les pareció bien.

No conseguí todo lo que esperaba, pero siempre había buenas razones y mantuvimos un diálogo entre iguales. No supuse que su criterio era siempre el mejor, pero acepté sus consejos cuando eran adecuados para mí y para Aidan. Respetaron mis deseos y lo hice a mi manera en la medida de lo posible porque vieron que lo había pensado bien y no estaba siendo obstinada o poco realista.

El médico que me rompió las aguas esperaba que me quedara en la cama y estuviera monitorizada continuamente. Cuando le pregunté por qué no hubo respuesta, así que dije: «¿Puedo pasear y utilizar una pelota de goma del centro maternal?». Pareció sorprendido pero lo aceptó.

Decidí que me pusieran una epidural, pero la cabeza de Aidan no acababa de encajar ni con eso ni con un goteo, así que me hicieron una cesárea. No era lo que había planeado, pero era lo que quería en esas circunstancias y en el fondo sabía que lo necesitaba. No tiene sentido luchar contra algo cuando las cosas cambian.

Después, durante un rato, lamenté no haber tenido el parto natural que pensaba que era capaz de conseguir como otras mujeres menos decididas; pero hicimos todo lo posible. En ningún momento del parto ocurrió nada que no comprendiera. Mantuve el control en todo momento, así que fue una experiencia verdaderamente positiva.

La clave consiste en estar informada y que no te intimide el personal médico. Puede parecer que esperan que hagas lo que te digan, pero si preguntas cosas no hay ningún problema. Yo no hice preguntas para ser más lista, sino porque necesitaba saber.

Tuve la impresión de que el personal me respetó porque quería saber lo que estaba ocurriendo, y eso hizo que me sintiera más cómoda. Ni siquiera un parto largo es demasiado malo si participas en el proceso y las cosas se hacen contando contigo.

Seguir adelante

Nicola Comben (26) es contable. Su parto fue especialmente traumático, pero se ha enfrentado a sus recuerdos con valor y ha seguido disfrutando de la vida con su hija Emily.

En mi familia siempre ha habido partos naturales, y nunca imaginé que el mío sería diferente. Millones de mujeres tienen hijos y yo estaba convencida de que también podía hacerlo. Quería un parto natural por el bien del bebé, pero también quería compartir los primeros recuerdos con mi marido, Craig, y con nuestros padres.

Craig y yo fuimos a clases prenatales, en las que me centré en prepararme para lo que quería, un parto natural. Cuando hablaban de cesáreas cerraba las compuertas. No podía soportar la idea de perderme las primeras semanas con mi bebé.

Las contracciones empezaron el martes por la noche. El miércoles por la mañana fui al centro maternal dilatada de cinco centímetros, llena de emoción y creyendo que controlaba la situación. Emily tenía su espalda contra la mía, y sólo avancé un centímetro en cuatro horas, así que cuando la comadrona sugirió que podían romperme las aguas accedí esperando que el parto progresara. Efectivamente, las contracciones comenzaron a llegar con más fuerza.

Pasé todo el día centrándome en ellas sin saber cuánto duraban, pero en cuanto la comadrona me ofreció una epidural la acepté. Todos mis temores a que me pusieran una inyección en la columna vertebral desaparecieron. Cuando mencionó la posibilidad de una cesárea me entró el pánico, pero estaba dispuesta a hacer cualquier cosa para tener un parto normal. Cuando estuve completamente dilatada empujé hasta que Craig pudo ver la cabeza de Emily. Entonces el médico decidió intentar un parto con ventosas, pero no funcionó y Emily sufrió daños graves.

Durante la cesárea de emergencia sentí unos dolores terribles, pero estaba demasiado cansada y confundida para hablar bien. Ni siquiera podía protestar. La operación estuvo a punto de acabar en una histerectomía. Después pensé que me lo había imaginado y durante la primera semana seguí llorando de frustración, incapaz de poner mi experiencia en palabras. Todo me parecía injusto.

El cirujano me dijo que podía hacer una terapia, aunque él no estaba de acuerdo. Su comentario fue desalentador, pero era algo importante para mí y para mi familia, así que me tragué mi orgullo y fui. En los días que siguieron logré comprender en profundidad lo que demostró ser una tabla de salvación.

La terapia me ayudó a reconocer que no había tenido un parto con cesárea normal y que me encontraba enferma. Desde que me pusieron la epidural sólo pensé en mí misma, así que me sentía culpable porque Emily hubiera sufrido con las ventosas. Tenía que afrontar eso y la decepción porque la experiencia no hubiera estado a la altura de mis expectativas.

Me di cuenta de que, como muchas mujeres, en realidad no tenía la mente abierta. Me había construido una imagen mental de un parto ideal y eso era lo que había perdido.

Mi terapeuta también me ayudó a reconocer que estaba enfadada, y que era razonable que me sintiera así. Habría hecho cualquier cosa por tener un parto natural, pero al mismo tiempo el personal me dejó continuar mucho tiempo y el anestesista no se aseguró de que no sintiera dolor durante la operación. Comprendo que estuviera presionado, pero fue responsable de mi pesadilla.

Tengo que superar aún el tiempo que perdí inmediatamente después del parto. Craig y yo deseábamos tener una hija, y todo debería haber sido perfecto, pero yo estaba demasiado enferma para disfrutar de aquello. Le veo venir hacia mí con un bebé de pelo oscuro, pero ni siquiera recuerdo cómo me enteré de que era una niña. Me siento estafada por no haber podido compartir esos primeros recuerdos de nuestra hija. Nunca podremos comenzar de nuevo nuestra vida familiar.

Durante los primeros meses me dejé llevar por el piloto automático. Mis amigas de las clases prenatales habían tenido buenos partos, puede que no fáciles pero más o menos lo que querían. Yo estaba destrozada, incapaz incluso de dar el pecho porque me encontraba muy cansada. Me perdí las primeras experiencias de Emily; nueve meses es mucho tiempo en la vida de un bebé.

Mi familia siguió queriéndome, dejando que expresara mis sentimientos y aceptándolos sin insinuar que debería «superarlo». Sabía que mis padres siempre estarían ahí, pero mi alma se habría muerto si no hubiera sido por el amor de Craig.

Muy pocas mujeres tienen complicaciones después de una cesárea de emergencia, y la actitud de algunas personas es: «¿Te han hecho una cesárea? Tienes un bebé sano, sigue con tu vida». Estoy agradecida por mi preciosa hija, pero no estaba preparada para lo que ocurrió. Me he esforzado mucho para reconocer la experiencia y archivarla. La gente dice: «Te pondrás bien, tendrás otro bebé», pero no es tan fácil. Ahora estoy volviendo a la normalidad y necesito toda mi energía para superar la experiencia. No puedo olvidar, y es inevitable que a veces me sienta triste.

No me arrepiento del parto, ni siquiera del dolor del quirófano, aunque preferiría que no hubiese ocurrido. Con la ayuda de mi terapeuta puedo decir: «Fue un infierno, pero lo he superado». Siempre he querido tener otro hijo y creo que necesito dar a luz otra vez para hacerlo «bien», aunque no exista tal cosa. Por mucho que lo intentes no siempre puedes tener el parto de tus sueños; pero puedes seguir adelante y convertirte en una persona más fuerte.

Una lección que aprender

Gill Mundham (36), inspectora de sanidad durante once años, deseaba tener a su primer bebé en la paz y la intimidad de su hogar.

No tenía ninguna duda de que quería tener a mi bebé en casa. Cuando era comadrona atendía partos en casa y en el hospital y no se pueden comparar. En casa las mujeres están más relajadas, es como una fiesta en la que todo el mundo se ríe y bromea. Como inspectora de sanidad hablaba con muchas mujeres y ninguna había tenido un mal parto en casa.

No me preocupaba cuánto podría durar el parto porque había visto a algunas mujeres parir en cuatro horas mientras otras tardaban días. Al final todas tenían bebés sanos y en casa no hay ninguna presión, así que no me importaba. Estaba preparada para ir al hospital si era necesario, pero las estadísticas demuestran que los partos en casa son seguros y mi comadrona estaba conmigo. Me sentía apoyada y confiaba en mí misma.

Por supuesto que tenía miedos. Me preocupaba el dolor y que el bebé estuviera de espaldas porque yo asociaba eso en mi mente con los fórceps y una cesárea. Finalmente, a pesar de hacer todo lo posible para que Katherine adoptara una buena posición, acabó de espaldas. Mi reto era averiguar si podía afrontar el parto y me demostré a mí misma que era capaz de hacerlo.

Rompí aguas pronto y el dolor era continuo por todas partes, pero mientras me relajaba en mi piscina para partos en casa imaginé que estaba en otro sitio hasta que estuve completamente dilatada. Luego se detuvieron las contracciones. El ritmo cardiaco de Katherine estaba bien e incluso podía sentir su cabeza, pero no había contracciones. Intenté descansar, comer alimentos nutritivos y algunos remedios homeopáticos, pero nada me daba fuerzas para empujar.

Mi marido, Richard, me llevó al hospital con una comadrona delante y otra detrás por si acaso el bebé nacía en el coche. Me alegré de que me trasladaran porque lo habíamos intentado todo y estaba tan cansada que si las contracciones hubieran vuelto no habría tenido nada de energía. Para ser sincera quería que todo se acabara.

Me preocupaba que el personal criticara mi decisión de parir en casa porque unos años antes yo misma habría hecho ese comentario; pero todo el mundo pareció lamentar que no me hubiese ido bien y eso significó mucho para mí.

Me pusieron un goteo, pero Katherine parecía estar sufriendo. El médico intentó sacarla con ventosas y luego realizó una cesárea de emergencia. Yo estaba conmocionada.

No creo que fracasara, pero tenía que aprender una lección. Había previsto que quizá no pudiera soportar el dolor, o que tendría que ir al hospital para que me pusieran una epidural y posiblemente para acabar con un parto asistido. Pero no me imaginaba que podría necesitar una cesárea. Eso era para las mujeres demasiado finas para empujar. Con todos mis conocimientos seguía juzgando a la gente y en el fondo pensaba que las mujeres que optaban por una cesárea elegían la vía más fácil.

Volví a casa al día siguiente de la operación, muy pronto según el criterio de cualquiera, pero el médico me lo puso fácil firmando el alta. Normalmente no lo habría aprobado, pero si me hubiera ido sin darme el alta me habría resistido a volver si hubiese ocurrido algo.

Se aprende más de las cosas que salen mal; las que salen bien se dan por supuestas. Si mi parto hubiera sido sencillo podría haber tenido una actitud arrogante. En ese momento fue horrible, pero me ayudó a avanzar mucho. No era tan flexible como pensaba; tenía que reconocerlo y puede que no hubiera otro modo. Ahora comprendo a las mujeres que tienen un parto difícil y sólo por eso fue una experiencia positiva.

Estoy satisfecha de mi parto, y pensándolo bien no estoy segura de que Katherine sufriera. Si me hubieran dado un poco más de tiempo, si no hubiera estado tan cansada, si hubiese habido alguien más allí aparte de Richard, ¿habría sido capaz de tener un parto normal? Si tengo otro bebé necesitaré enterrar mis fantasmas, pero intentaré parir en casa de nuevo.

Encontrar a la gente adecuada

Liv Simonsen (31) es especialista en intervenciones. Tuvo un parto de nalgas en casa atendido por una comadrona independiente.

El hospital no me parece un buen lugar para tener un bebé. La relación enfermera-paciente nunca es igualitaria; todo el mundo se mete en su papel y se trata a los pacientes de un modo que limita su capacidad de expresión.

No tenía experiencia en partos normales porque sólo había visto cesáreas, pero opté por un parto en casa porque no quería que hubiese ninguna intervención y eso era más difícil de conseguir en el hospital. Las mujeres son vulnerables en el parto. No pueden discutir con nadie por nada y yo no quería que mi pareja, Steve, luchara por mí. Los hombres son capaces de afrontar un parto normal y de ser padres, pero con el primer bebé no tienen esa experiencia.

Al comienzo del embarazo, incluso antes de ver a mi médico de cabecera, escribí a la jefa de comadronas del hospital local pidiendo una comadrona para un parto en casa. Esperaba que se opusieran porque era mi primer bebé, pero no hubo ninguna oposición. Mi comadrona no se mostró muy entusiasmada, pero aunque hubiera preferido a alguien a quien le emocionara un parto en casa estaba allí para hacer su trabajo.

Cuando estaba embarazada de treinta y siete semanas descubrimos que Zachary estaba de nalgas, y a pesar de todas mis acrobacias parecía que iba a quedarse así. La comadrona dijo que el parto tendría que realizarse en el hospital.

Nuestra instructora prenatal nos dio un folleto que decía que, excepto en algunas circunstancias, los riesgos de un parto el dolor. La primera comadrona que me vio cuando estaba de parto lo leyó, resopló y dijo: «Siempre puedes cambiar de opinión», lo cual me asustó. Pensé que debía saber más que yo. Pero me metí en la piscina y fue una delicia. El parto fue exactamente como el del vídeo: natural y maravilloso. Yo estaba exultante, y el personal hizo que me sintiera especial.

Cuando estaba embarazada de Abigail, la ecografía que me hicieron con dieciocho semanas indicaba que tenía la placenta baja. Nadie pareció pensar que sería un problema o que me impediría tener otro parto en el agua. Me dijeron que me harían otra ecografía más adelante.

Entonces nos trasladamos a otra zona por el trabajo de Ross. El cambio fue impresionante. Me presionaron para que pasara del centro maternal a la unidad especializada, y cuando la comadrona leyó mi expediente dijo que no podría tener un parto en el agua y que probablemente necesitaría una cesárea porque tenía la placenta baja. «Tu bebé puede morir, y tú también», dijo. Yo estaba aterrada.

Durante nuestro recorrido por el hospital otra comadrona hizo un comentario que disparó la alarma. Dijo que las cesáreas eran bastante habituales en ese hospital. Asustada, llamé por teléfono a mi tía, que me dijo cómo podía conseguir las estadísticas del hospital. Tenía uno de los índices de cesáreas más elevados del Reino Unido.

En la segunda ecografía seguía teniendo la placenta bastante baja, así que pedí a unos amigos con conocimientos médicos que lo consultaran por mí para poder discutirlo con mi médico. Mi tía me puso en contacto con una comadrona independiente que podía determinar la necesidad de una cesárea. Dijo que si la placenta estaba a menos de cierta distancia del cérvix sería más segura una operación, pero que si no debería estar bien. El útero desplazaría la placenta al expandirse. Sugirió que consultara a un radiólogo para que me dijera la medida.

Después de la tercera ecografía pude decirle al médico: «La placenta está a tantos centímetros del cérvix, así que está bien,

¿verdad? Por lo visto no necesito una cesárea». Aun así, cuatro días antes de salir de cuentas me dijeron que considerara la posibilidad de tener un parto inducido.

Averiguar las cosas por mí misma me dio confianza para resistir la presión a tener un parto controlado. Mi médico me trató como un igual en todo momento, pero las comadronas actuaban como si supieran qué había que hacer y esperasen que lo aceptara. Si no hubiera tenido una experiencia diferente con mi primer bebé podría haber pensado que debía ser así y que quién era yo para cuestionar nada.

Cuando fui al hospital para el parto la gente no dejaba de asomar la cabeza por la puerta preguntando cosas como «¿Necesita más bolsas de basura?» Una experiencia privada se convirtió en un espectáculo público.

Las comadronas seguían poniendo excusas para justificar por qué no podía tener un parto en el agua, y cada una daba una razón diferente: la piscina para partos estaba libre pero en ese momento estaban muy ocupadas; no la habían limpiado, pero lo arreglarían; había alguien usándola. Yo sabía que me estaban mintiendo, pero no tenía fuerzas para discutir. Me siento indignada conmigo misma, pero Ross y yo estábamos preocupados por el «problema» de mi placenta. Ninguno de los dos se sentía en una posición fuerte.

El parto de Abigail no fue terrible, pero tampoco fue tan gratificante como el de Alistair. El personal hizo las cosas a su manera en vez de a la mía, y eso me arrebató algo. Cuando nació Alistair le saqué del agua. Fui la primera que le vi y supe que era un chico. Fue una experiencia maravillosa. Me alegro de que las comadronas estuvieran a mi lado, pero no las necesité. Simplemente me ayudaron a parirle por mí misma.

Un trayecto personal

Clare Burt (27) tuvo una cesárea de emergencia con Emma (6) y una cesárea electiva con Lucy (4). Jack (6 meses) nació de forma natural en casa.

«Cuando nació Emma después de un parto difícil sentí que mi cuerpo me había fallado. Sólo tenía veintiún años y fue todo divertido, con risas incluidas, hasta que el parto empezó a ir mal. Luego las cosas se complicaron y Jason y yo no sabíamos qué hacer.

Jason trabaja en el negocio familiar, y sus padres se habían ido de vacaciones sin saber que iba a coincidir con el parto de Emma. Él se había quedado a cargo de todo. Pensándolo bien podía haber cerrado el negocio durante una semana, pero creía que tenía que estar allí. Siempre he necesitado que la gente me anime, y no tuve ese apoyo cuando nació Emma.

Con Lucy quería un parto vaginal para confirmar que mi cuerpo podía funcionar de un modo normal, pero la comadrona dijo que me pondrían un goteo y que me monitorizarían durante el parto. Dijo que tenía que firmar una renuncia si me negaba y eso me asustó. Me daba demasiado miedo arriesgarme a un parto natural por si acaso volvía a salir mal, así que tomé la mejor decisión en aquellas circunstancias.

No estaba preparada para luchar, así que opté por otra cesárea. Era una forma de limitar los riesgos, no una opción positiva, pero de alguna manera avanzamos con el parto de Lucy. Recurrí a la osteopatía y a la homeopatía para recuperarme y me di cuenta de que podía hacer cosas por mí misma. Aprendí a sintonizar con mi cuerpo y me sentí mucho más fuerte.

Puede que tuviésemos que pasar por el parto de Lucy para ser capaces de tener a Jack de forma natural. Fue nuestro bebé sorpresa, y durante el embarazo me encontraba muy mal. No podía soportar la idea de tener otra operación, hasta que una amiga me dijo: «¿Por qué vas a necesitarla?»

No había pensado realmente en ello, así que me entusiasmé y busqué en Internet información sobre partos vaginales tras una cesárea. Cuanto más sabía más segura me sentía, y menos dependía de otras personas.

Decidí no tener al bebé en el hospital porque lo de la «prueba de parto» no me sonaba nada bien. En cuanto tomé la decisión de tener un parto en el agua en casa mi malestar desapareció. El agua te ayuda a relajarte y te da privacidad, y los estudios indican que sostiene la cicatriz de una cesárea por contrapresión. Durante seis meses me dediqué a prepararlo todo.

Me preocupa lo que piense la gente, así que tuve que aprender a decir y hacer lo que me parecía más adecuado para mí, a confiar en mí misma y amar mi cuerpo. Leí sobre partos vaginales tras una cesárea y hablé con gente que lo había conseguido. Utilicé remedios homeopáticos y fui a sesiones de osteopatía craneal de las que salía sin sentirme embarazada.

Una mente y un cuerpo tensos hacen que el cérvix se tense, así que intenté relajarme y visualizar cómo se abría mi cérvix. También pegué afirmaciones por toda la casa de forma que cada vez que abría un armario me encontraba con una frase positiva.

Pedí los informes de mis dos primeros partos para intentar comprender lo que había ocurrido; y para no pasar horas en una sala de espera abarrotada para una charla de cinco minutos sobre rotura de cicatrices envié una amable carta a mi especialista.

La carta decía que quería tener un parto activo en casa, y que si lo deseaba podíamos buscar un momento oportuno para los dos para reunirnos. No respondió, pero todas las comadronas que me atendieron habían oído hablar de «la carta».

Sabía que sólo podría dejarme llevar si todo el mundo se relajaba y trabajaba en equipo, así que intenté pensar en las necesidades de los demás. Fui a hacerme una ecografía porque Jason quería estar seguro de que el bebé estaba fuerte y sano, y conseguí una receta de petidina para que las comadronas supieran que estaba allí por si acaso.

Jason seguía muy ocupado con el trabajo, pero sus prioridades habían cambiado. En los últimos dos años habíamos pasado por algunas situaciones extremas que nos habían dado fuerza y seguridad para seguir adelante. Me daba miedo dar a luz, pero confiaba en él y él confiaba en mí, a veces más que yo. Aunque era nuestro tercer bebé fuimos juntos a clases prenatales.

Lo decidimos todo nosotros, pero hubo momentos difíciles. En la semana treinta y uno mi comadrona me hundió en la miseria al decirme que Jack estaba de nalgas. Jason me dijo que no me asustara, que cruzaríamos cada puente cuando llegásemos a él. Jack se dio la vuelta en la semana treinta y cuatro.

En el fondo sabía que podía dar a luz a mi manera, pero me habían menospreciado tantos médicos que a veces dudaba de mí misma y necesitaba que la gente me lo recordara. Cuando tienes miedo tu confianza se tambalea; necesitas que los demás sean fuertes por ti. Con Jack me dilaté muy despacio, pero era una cuestión mental. Dolía tanto que me daba miedo dejarme llevar por si acaso dolía aún más.

Empujé durante más de tres horas, pero Jack nació de forma natural y por fin comprendí lo que quiere decir la gente cuando habla de remontar la cresta de la ola con cada contracción. Tienes que perder el control para recuperarlo.

Jason me respeta por lo que hicimos, y al principio creía que habíamos conseguido algo asombroso. Ahora lo doy por supuesto. A veces siento temblores e inestabilidad en la pelvis, y estoy tan mal como después de las cesáreas. No puedes olvidarte del resto de tu vida mientras disfrutas del triunfo de un parto maravilloso. Un parto es simplemente una parte de la vida.

Páginas web

Las siguientes direcciones proporcionan información para el Reino Unido, Australia, Canadá, Estados Unidos y otros países, o vínculos con páginas web relacionadas. Si no encuentras la información que necesitas, ponte en contacto con una de las cuatro últimas organizaciones de este apartado.

www.activebirthcentre.com: información sobre partos naturales y partos en el agua.

www.apni.org: para mujeres que sufren enfermedades posnatales.

www.avma.org: institución benéfica del Reino Unido que ofrece asesoramiento a las víctimas de accidentes médicos.

www.babydirectory.com: información local para mujeres embarazadas, bebés y niños, que incluye compañías que alquilan piscinas para partos, niñeras, comadronas independientes, hospitales, terapias alternativas, etc.

www.birthcenters.org: web americana con una buena selección de vínculos.

www.birthchoiceuk.com: información local actualizada y estadísticas para ayudar a las mujeres a decidir dónde dar a luz en el Reino Unido.

www.dppi.org: servicio de información internacional para padres discapacitados, futuros padres y profesionales.

www.drfoster.co.uk: organización independiente que proporciona información autorizada sobre provisión de servicios maternales.

www.homebirth.org: prestigiosa web de referencia sobre partos en casa que incluye información científica.

www.independentmidwives.org: lista de comadronas independientes del Reino Unido; contactos internacionales.

www.internationalmidwives.org: situada en los Países Bajos, la web de la Confederación Internacional de Comadronas ofrece vínculos útiles, que incluyen pruebas científicas.

www.mama.org: grupos del Reino Unido para apoyar a todas las madres, sobre todo a las que están solas o aisladas después del parto o se trasladan a una nueva zona.

www.midirs.org: información y pruebas científicas para mujeres y comadronas.

www.midwifery.org: comadronas que apoyan las decisiones de las mujeres a la hora de dar a luz.

www.patient.co.uk: información sanitaria sobre enfermedades, incluida la estreptococia; pincha en «women» y luego en «pregnancy» o «childbirth» para buscar vínculos con páginas web relacionadas.

www.patients-association.com: asesoramiento sobre los derechos de los pacientes, acceso a los servicios sanitarios, etc.

www.sheilakitzinger.com: información sobre partos en casa y partos en el agua.

www.ukcc.org: establece las pautas profesionales para las comadronas y los inspectores de sanidad del Reino Unido. Ofrece un servicio de asesoramiento y tramita quejas.

www.vbac.com: web americana con consejos para mujeres que quieren tener a su bebé de forma natural tras un parto con cesárea. Pincha en «Support Groups» para información en el Reino Unido.

www.aims.org.uk

www.birthinternational.com

www.midwiferytoday.com

www.nct-online.org

Bibliografía

Enkin, Murray, y cols., *A Guide to Effective Care in Pregnancy and Childbirth*, 3ª ed., Oxford University Press, 2000. Revisión de la literatura científica actualizada regularmente.

Gaskin, Ina May, *Spiritual Midwifery*, The Book Publishing Company, 1990. Inspiración espiritual.

Kitzinger, Sheila, *El nuevo gran libro del embarazo y del parto*, Medici, 2004. Un bonito libro ilustrado que plantea algunas preguntas inquisitivas sobre el parto.

National Childbirth Trust, *Caesarean Birth: Your Questions Answered*, National Childbirth Trust, 1996. Información general, consejos prácticos y pruebas científicas.

Thomas, Pat, *Alternative Therapies for Pregnancy and Birth*, Element Books, 2000. Alternativas bien documentadas para mujeres que no quieren ser «pacientes».

—, *Every Woman's Birth Rights*, Thorsons, 1996. Presentación imparcial de los hechos desde el punto de vista femenino.

Thorn, Gill, *Pregnancy & Birth*, Hamlyn, 2000. Información general.

Wesson, Nicky, *Labour Pain*, Vermilion, 1999. Autoayuda y otros métodos para aliviar el dolor.